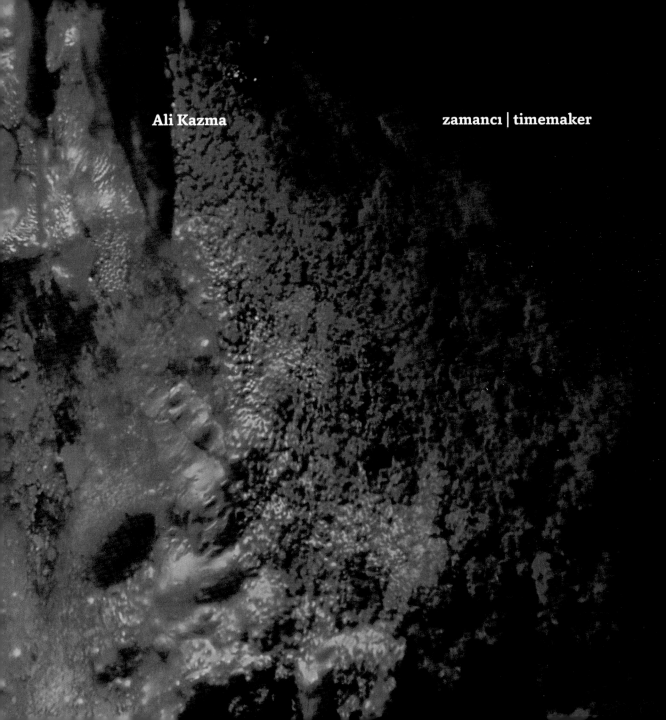

Ali Kazma

zamancı | timemaker

Ali Kazma
zamancı | timemaker

ISBN 978-975-6959-93-0

Editör | Editor İlkay Baliç

İngilizceden Türkçeye çeviri
Translation from English to Turkish
Karla Işık
Elif Gökteke (39, 48, 88, 136, 153)
Mine Haydaroğlu (64)
Orçun Türkay (87)

Türkçeden İngilizceye çeviri
Translation from Turkish to English
Karla Işık
Nazım Dikbaş (33, 40, 51, 94, 105, 122, 149, 177)
Aslı Mertan (14–17)
Fred Stark & Linda Stark (63, 79)

İngilizce düzelti
English proofreading
Ziya Dikbaş

Türkçe düzelti
Turkish proofreading
Emre Ayvaz

Tasarım | Design Esen Karol

Kapak fotoğrafı | Cover photo
Ali Kazma (Recto Verso, 2013)

Baskı ve Cilt | Printing and Binding
Ofset Yapımevi
Şair Sokak No: 4 Çağlayan Mahallesi
Kağıthane 34410 İstanbul, TR
T: +90 212 295 86 01
Sertifika No: 12326

ARTER
sanat için alan | space for art
İstiklal Caddesi No: 211
34433 Beyoğlu, İstanbul, TR
T: +90 212 243 37 67
F: +90 212 292 07 90
E: info@arter.org.tr
arter.org.tr

Ali Kazma

zamancı
timemaker

Bu yayın, Ali Kazma'nın
ARTER'de 30 Ocak–5 Nisan
2015 tarihleri arasında
gerçekleşen "zamancı" adlı
sergisine eşlik etmektedir.

This book accompanies
Ali Kazma's exhibition
"timemaker" held at ARTER
between 30 January
and 5 April 2015.

zamancı | timemaker
Ali Kazma
30/01/–05/04/2015
Küratör | Curator: Emre Baykal

**"zamancı" Sergi Ekibi
"timemaker" Exhibition Team**

*Sergi Direktörü ve Küratör
Exhibition Director and Curator*
Emre Baykal

*Sergi Direktör Yardımcıları
Assistant Exhibition Directors*
Itır Bayburtluoğlu
Başak Doğa Temür

*İdari ve Mali İşler Direktörü |
Director of Administration
and Finance*
Göknil Bigan

*Yapım Koordinatörü
Production Coordinator*
Selen Korkut

*Sergi Arşiv Sorumlusu
Exhibition Archive Officer*
Behiye Bobaroğlu

*Sergi Tasarımı ve Uygulama |
Exhibition Design
and Implementation*
Nilüfer H. Konuk, *Mimar | Architect*
Duygu Doğan, *Mimar | Architect*

Teknik kurulum | Technical setup
Mathias Taupitz (Eidotech)

*İdari Asistan
Administrative Assistant*
Çağla Çankırılı

Teknik Ekip | Technical Team
Hasan Altunbaş, Özkan Kaya

*Danışma Sorumlusu
Information Operator*
Nilüfer Kara

Güvenlik | Security
Koray Akbaş, Turgay Demiralay,
Mehmet Ali Kartal, Ali Murat Kılıçkap,
Tolga Koca, Osman Kurnaz,
Mert Burak Kurtoğlu, Ümit Önder,
Kayhan Şamcı, Selçuk Yıldız

Yardımcı Hizmetler | Services
Birol Civelek, Hüseyin Genç, İsmail Taşdemir

**"zamancı" Yayın ve İletişim Ekibi |
"timemaker" Publication
and Communication Team**

Editör | Editor
İlkay Baliç

Grafik Tasarım | Graphic Design
Esen Karol

Medya Koordinasyonu | Media Coordination
Üstüngel İnanç
İdil Kartal

Yardımcı Editör | Assistant Editor
İpek Tabur

6–7:
Yerleştirme görüntüsü
Installation view:
"Rezistans | Resistance"
(Küratör | Curator:
Emre Baykal), 55. Venedik
Bienali Uluslararası Sanat
Sergisi, Türkiye Pavyonu |
Pavilion of Turkey at the
55th International Art
Exhibition, la Biennale
di Venezia, 2013

İstanbul Kültür
Sanat Vakfı izniyle |
Courtesy of the
Istanbul Foundation
for Culture and Arts

Fotoğraf | Photo:
Roman Mensing

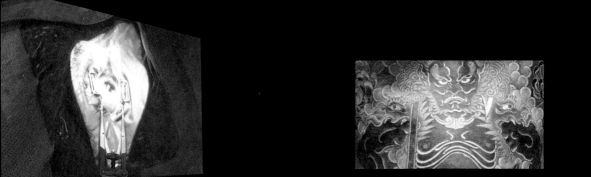

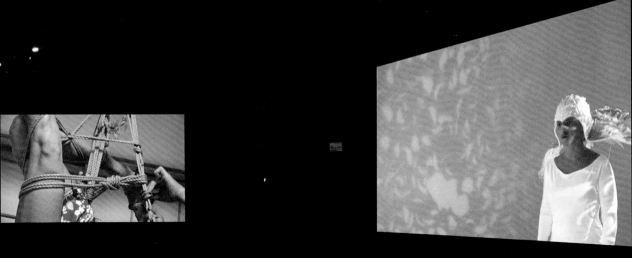

Zamanın Seyri

Emre Baykal

Ali Kazma, işlerinin üretim zamanında yalnız olmayı seven bir sanatçı. Yapıtın kendisini olduğu kadar, üretim sürecini de gereksiz her tür fazlalıktan korumak için, sanatsal üretiminin başlangıcından bu yana, birkaç istisna dışında, çekim yaptığı mekânlara kamerasıyla tek başına girmeyi tercih etti. Kamerasını yönelttiği mekân ve kişilerle çalışırken kendi fiziksel varlığını mümkün olduğunca devre dışı bırakmayı, izleyiciyle onlar arasında müdahalesiz, birebir bir ilişki kurmayı prensip edindi.

Ali Kazma'nın kendini ifade etmek için seçtiği mecra olan videodaki zamansallık, yapıtın izleyiciyle buluşmasıyla ortaya çıkan seyir/süre bağlamının öncesinde, sanatçının üretim sürecine de yön verir. Burada söz konusu olan, çalışarak geçirilen ve ölçülebilir bir zamandan ziyade, zamanın sanatsal bir kavrayışla denetim altına alınmasına, ritimlendirilmesine, yeniden düzenlenmesine ilişkin süreçlerdir. Ali Kazma çekimlere ayırdığı zaman sona erip saatlerce uzunlukta ham kayıtla baş başa kaldığında, kaydetmiş olduğu zamanı montaj defterine döker, kodlandırır, parçalara ayırır, anların yanına notlar düşer, onları birbirinden koparır, yerlerini değiştirir; zamanı imleyen rakamlar yapıtın gizli şifreleri gibi sayfalar boyunca devam eder. Kamerasıyla kaydettiklerinin sanat diline tercümesini mümkün kılan ilk eskizlerini, montaj defterlerini dolduran bu zaman kodları oluşturur.

Ali Kazma'nın çalışma yöntemine ilişkin bu birkaç ipucunu paylaşmayı önemsiyorum, çünkü üretimini şekillendiren en temel unsurlardan biri olarak 'zaman'la kurduğu dolayımsız ilişkinin, doğrudan işlerin kendilerinden de yansıdığına, 'zaman' düşüncesinin 'mekân' ve 'beden'e ilişkin sorularla iç içe geçerek onun yapıtını katmanlaştırdığına ve izleyiciye sunduğu düşünsel ve estetik olasılıkları çoğalttığına inanıyorum. ARTER'deki bu kapsamlı kişisel sergide yer alan videoların önemli bir kısmında, üretim halindeki insanın, çalışan insan bedeninin taşıyıcı bir motif olarak sık sık karşımıza çıktığını düşünecek olursak, Ali Kazma'nın kendi sanatsal üretim sürecini şekillendiren yöntem ve prensipler, onun yapıtına bir bütün olarak bakarken bizim için yeni perspektiflerin aralanmasına da yardımcı olabilir.

Sanatçının 2005'ten bu yana 10 yıllık sanatsal üretimine odaklanan "zamancı"; "Engellemeler" ve "Rezistans" serileri altında toplanan pek çok yapıtla "Bugün", "Yazılan", "Yokluk", "Geçmiş", "OK" gibi diğer işlerin birlikte ve eşzamanlı gösterildiği bir mekânsal kurgu içinde, onları bir arada tutan bağlamların giderek daha da genişleyip yeni anlamlar ürettiği bir izleme deneyimi amaçlıyor. Sergi, adını Ali Kazma'nın kendi yaratıcı süreci içindeki 'zaman' kavrayışından esinlenmiş olmakla birlikte, sergide yer alan işlerin içinden yansıyarak çoğalan zamana ilişkin düşünce ve soruları sanatçının yapıtının ana akslarından biri olarak tartışmaya açmayı da öneriyor. Kazma'nın "Saat Ustası" (2006) adlı erken dönem videolarından birinin sergide izleyiciyi karşılayan ilk iş olarak yerleştirilmesi bu anlamda bir tesadüf değil. Artık çalışmayan bir 18. yy. Fransız saatinin tek tek parçalarına ayrılıp tekrar birleştirilerek tamir edilişini gösteren bu video, zamana kendi fiziksel mekânı içinde yeniden hareket kazandırırken, geçmiş zaman, zamanın durdurulması, parçalanması ve geri kazanılmasına dair güçlü çağrışımlarla yüklü, yoğun bir düşünce alanı yaratıyor.

"Saat Ustası"nın da içinde yer aldığı "Engellemeler" serisi, Ali Kazma'nın "İstanbul Yaya Sergileri II: Tünel-Karaköy" başlıklı kamusal alan sergisi için gerçekleştirdiği, "Bugün" (2005) adlı performatif videodan besleniyordu. Kazma, sergi süresince her gün bölgede olup biten mikro-etkinlikleri gün içinde kaydedip montajladıktan sonra, aynı günün akşamında Tünel Meydanı'na bakan bir vitrine yansıtmıştı. Basit bir zamansal kaydırmayla gündüzü geceye taşıyan bu performatif işin

içindeki mekân ve uğraşların yeniden ziyaret edilerek genişletilmesi
fikri, şimdilik 18 videodan oluşan "Engellemeler" serisini tetikledi.

"Engellemeler"de yer alan işlerin çoğu, insan bedeninin sürekliliği,
konforu, ölçülmesi, kontrolü, bakımı ve onarımı için verilen uğraşları
konu edinirler. Bu uğraşların icra alanı ve son ürünü, bedeni destekleyen
ya da tamamlayan materyal nesneler olduğu kadar, kimi zaman beden
de kendisini icraya açar, ya da kendisi icranın alanına dönüşür. Serinin
adında ima edilen karşı koyma çabası ise, her şeyin eninde sonunda
ayrışıp yok olacağına dair temel bilimsel gerçeğe referans verir. Söz
konusu 'engelleme'ler, insanın bu mutlak yok oluş sürecine—ve
nihayetinde ölüme—karşı sürdürdüğü, bu süreci en azından yavaşlatıp
geciktirmeye ya da unutturmaya yönelik uğraşların toplamına işaret eder.

Tıpkı "Engellemeler"in "Bugün"ün içinden genişleyerek doğuşu
gibi, "Rezistans" da "Engellemeler" serisinin içinden genişledi. 55. Venedik
Bienali Türkiye Pavyonu (2013) için geliştirdiği bu projede Ali Kazma,
bedeni hem inşa hem de kontrol eden süreçleri; insanın kendi bedeninin
toplumsal, kültürel, fiziksel ve genetik kodlarını kırmaya çalışıp onu
kusursuzlaştırma çabasını; ve bedenin bu tür müdahaleler yoluyla nasıl
yeni sembollerin ve anlamların taşıyıcısı haline geldiğini araştırdı.

Kazma, "Rezistans"ı oluşturan işlerde, bedenin fiziksel ve
kavramsal bir mekân olarak ürettiği anlamlar bütününü ve bunlara
ilişkin enigmayı bedenin—iç, dış ve zarf olarak da tanımlayabileceğimiz—
üç ayrı katmanında incelemeye alıyor: Bizi her zaman maddeye,
dolayısıyla ölüme doğru çeken bir kabuk olarak beden; kabuğun
örttüğü 'görünmeyen'in, ya da en materyal haliyle 'etin' alanı; ve
bedenin yeniden kurgulanışına sahne olan kurumsal mekânlar.

"Rezistans" 2013 yılında Venedik'te Arsenale binasındaki
ilk gösteriminde, içinde yer aldığı tarihi dokuyla birlikte
izleyiciyi bir kabuk gibi dört yandan çevreleyen mekânsal bir

kurguyla sunulmuştu. Bu çok kanallı video yerleştirmesi, benzer bir yaklaşımla, bu kez ARTER'in duvarlarını bir zarf gibi kuşanıyor.

"zamancı" Ali Kazma'nın "Engellemeler" ve "Rezistans" gibi iki kapsamlı serisinden seçilen işleri sanatçının diğer çalışmalarıyla bir araya getirirken, hem onun kendi üretimine ilişkin 'zaman'ı kucaklıyor, hem de işlerin mekân içinde birbirleriyle kurdukları iletişim yoluyla insanın zamanın içinde ve zamana karşı varolma uğraşı, bedenin zamanı, çalışan beden, zamanın mekânsallaştırılması, mekânın zamansallığı, üretim ve zaman üzerine düşünceleri de kapsamına alıyor.

Sergiye eşlik etmek üzere yayımlanan bu kitapta, aynı mekâna yerleştiklerinde işlerin birbirleriyle konuşmaya başlamalarından esinlenerek, Ali Kazma'nın işleri hakkında daha önce yayımlanmış metinlerden çeşitli alıntıları bir arada kullandık. Buna ek olarak Selen Ansen, Cevdet Erek ve Barbara Polla'dan yeni alıntıları da aynı kapsama alarak, kitabın konuşma ve tartışma için bir mekân daha açmasını arzuladık.

Bugün
2005
32'
Tek kanallı video

12–13:
Video kareleri

Tracing Time

EMRE BAYKAL

Ali Kazma is an artist who prefers to work alone throughout the production process of his videos. Since the beginning of his career—with the exception of a few instances—he has always chosen the sole company of his camera on his shooting sites, in order to refrain from any kind of redundancy both in the production process and in the work itself. While filming these sites and individuals as the subjects of his work, he made it a principle to efface himself as much as possible in order to facilitate an unmediated relationship between them and the viewer.

The time-based nature of the video not only defines the viewing experience in terms of duration, but also shapes Ali Kazma's very production process. The issue here does not address the units of time spent working, it rather concerns the processes through which time is controlled, arranged, and re-organised in a rhythmic pattern through artistic conception. Following the shooting process, Ali Kazma retreats to his editing room with hours of raw footage and writes down the time he recorded; codifies it, splits it into parts, takes notes next to the "moments", detaches and displaces them. These timecodes, like the secret ciphers of the work, continue for pages and become the very first sketches of the ultimate artistic translations of his camera recordings.

I think it is noteworthy to mention details of Ali Kazma's working methods and process here as I believe that his relationship to time (as one of the structural components of his practice) is projected all throughout his works. The concept of 'time' is always interwoven with questions pertaining to 'space' and 'body', rendering his work multidimensional, thus enriching the intellectual and aesthetic possibilities offered to the viewer. A significant number of the videos in this comprehensive solo exhibition employ the working human body as a recurring motif. Therefore, I believe that a closer look into the artist's own working methods and principles might prove useful in discovering the threads binding together his works as a whole and offer new perspectives to the viewer.

Today
2005
32'
Single-channel video

12–13:
Video stills

"timemaker" focuses on Kazma's production in the last decade. Comprising many pieces from the series "Obstructions" and "Resistance", the exhibition also features other pieces such as "Today", "Written", "Absence", "Past" and "OK". It aims to offer a viewing experience in which the binding contexts of these works gradually expand and generate new meanings through a spatial composition that allows the works to run concurrently. The exhibition takes its title from the way in which Ali Kazma incorporates the concept of 'time' in his creative process to suggest a debate around the ideas and questions about 'time' that is projected and multiplied through the videos as one of the foundational axes of his practice. In this sense, it is not a coincidence that "Clock Master" (2006), one of Kazma's early works, is installed as the very first work that greets the viewer at the entrance to the exhibition. Showing a clock master first dismantling, then assembling an 18th century French clock, this work re-activates time in its own physical space, thus creating an intense intellectual field charged with strong connotations regarding time past, time suspended, time disintegrated and time retrieved.

The "Obstructions" series, which also includes "Clock Master", was preceded by a performative video entitled "Today" (2005) created by Ali Kazma for a public space project, "Istanbul Pedestrian Exhibitions II: Tünel-Karaköy". Kazma recorded the micro-level activities within the working day of the neighbourhood where the exhibition took place, edited them during the day and projected the final videos onto a shop window facing Tünel Square on the evening of the same day, thus using a small shift in time as a presentation strategy. The idea of re-visiting and expanding the space and activities tackled in this performative work later triggered the launch of a new series entitled "Obstructions", currently comprising 18 videos.

The majority of works in the "Obstructions" series deal with human beings' effort to secure the continuity, comfort, measurement, control, maintenance and healing of the body. The field of performance, or the final product of such activities could be a material object that supports or supplements the body, while at other times the body is revealed in performance, or becomes the site of the performance itself. The title of this series refers to the fundamental scientific truth that everything must eventually disintegrate and perish. Here, 'obstructions' point to the sum of human activities oriented towards fighting this inevitable process of annihilation—and ultimately, death—in order to slow down, delay or temporarily ignore this process.

Just as "Obstructions" emerged from "Today", "Resistance" has evolved out of the "Obstructions" series. In this project developed for the Pavilion of Turkey at the 55th Venice Biennale (2013), Kazma explores the processes that both construct and control the body; the struggle to crack the social, cultural, physical and genetic codes of the human body in order to render it perfect; as well as the processes during which the body becomes, or is transformed into a conveyor of new symbols and meanings.

In the works that constitute "Resistance", Kazma studies the totality of meanings and the related enigma that the body as a physical medium and conceptual space offers, through three layers: the internal, the external and the envelope—the body as a shell that constantly pulls us towards materiality and consequently death; the body as the site of the 'invisible', or the field of flesh; and the institutional spaces that serve as a stage for the reconstruction of the body.

On its premiere at the 55th Venice Biennale, "Resistance" was presented within the historical setting of the Arsenale building in a spatial organisation that surrounded the viewer like a shell. This multi-channel video installation is shown at ARTER in a similar fashion, enveloping the viewer within the walls of the exhibition space.

Bringing together selected works from two comprehensive series such as "Obstructions" and "Resistance" with several other works, the exhibition "timemaker" traces time both in Kazma's own production process and in the dialogue established amongst the works installed together in the same space, thus calling for further reflection upon the human struggle to exist within and against time, the time of the body, the working body, the spatialisation of time, the temporality of space, and time and production.

Responding to the dialogic installation of the exhibition, this book which accompanies it includes fragments from previously published texts on Ali Kazma's practice. In addition to these existing fragments, it also features new quotes from Selen Ansen, Cevdet Erek and Barbara Polla, thus endeavouring to open up a new space for debate and discussion.

İşim hayatım olduğu gibi, hayatım da işim demek. İşle
hayat arasında ayrım yapanları anlayamıyorum—
benim için bu bir süreklilik olmak durumunda.

My life is about my work, as much as my work is my life. I
cannot understand those who make a distinction between
life and work—to me it has to be a continuum.

Kristal
Crystal
2015

"Engellemeler" serisinden |
From the series
"Obstructions"
11'
Tek kanallı video
Single-channel video

Vehbi Koç Vakfı izniyle |
Courtesy of the
Vehbi Koç Foundation

Üretim sürecinden
Production still

1, 18,19, 22–23:
Video kareleri
Video stills

ALİ KAZMA, "Ali Kazma and Paul Ardenne, a conversation with Barbara Polla"
[Ali Kazma ve Paul Ardenne, Barbara Polla'yla bir sohbet],
In It: Ali Kazma - Paul Ardenne (New York: C24, 2012), 64

Ali Kazma bir modern, ve bu anlamda hiyerarşilerin, dikeyliklerin insanı. Onun için göstergeler asla aynı şeylere aynı biçimde işaret etmiyor. Tüm değerlerin tek yüzeyde düzlendiği ve her şeyin yatay olarak yerleştiği postmodern dünya, estetik sınıflandırmalarının yıpranmışlığıyla sanatçının itimat etmediği ve kendini yakın hissetmediği bir yer. Her defasında, kamerasını tripoduna yerleştirdiğinde amacı şu: Üretmekte olduğu sanat yapıtı aracılığıyla 'hakikat'e olabildiğince yaklaşmak—'hakikat'e, yani varolmanın ne anlama geldiğine.

Ali Kazma is a modern and, as such, a man of hierarchies, a man of verticality. For him signs never signify in an identical way. The postmodern world, where values are levelled and everything is set horizontally, is not the world he is drawn to, or one he credits for its weariness with aesthetic classifications. Every time he places his camera on its tripod, his goal is this: to make the work of art he is producing reveal to him something that is likely to place him as close to the 'truth' as possible—the 'truth,' that is, the very meaning of what it is to exist.

Kesinlik
Precision
2014

"Engellemeler"
serisinden | From the
series "Obstructions"
10'
Tek kanallı video
Single-channel video

Courtesy of
Saline Royale izniyle

25, 26, 31:
Üretim sürecinden
Production still

28–29:
Video kareleri
Video stills

PAUL ARDENNE, "In It: Ali Kazma, his life and work - the incarnation of energy"
[İçinde: Ali Kazma, hayatı ve eserleri - enerjinin vücut bulması],
In It: Ali Kazma - Paul Ardenne (New York: C24, 2012), 14

Ali Kazma, yaşadığımız zamanların pozitif bir formunu temsil eden gerçekliğin özünü bize geri vermek için, modernitenin bütün sembolleşmiş mevkilerini gözden geçiriyor ve bu yerlerin mitolojik boyutlarını devreden çıkarıyor.

Ali Kazma reviews all the symbol-locations of modernity and drops their mythological aspect, in order to give us back the core of that reality which represents the positive form of our present times.

Maurizio Bortolotti, "Engellemeler" sergi metninden | from the "Obstructions" exhibition text (Milan: Francesca Minini, 2008)

Yaptığım işler bir şeyi tanımlama, ifşa etme amacı taşımıyorlar.
Ansiklopedi maddelerinin tümü hakkında birer şiir ya da hikâye
yazdığınızı düşünün: Bunu yaparak her şeyi daha da sınıflandırmış
mı olursunuz, yoksa aksine, kategorilerin sınırlarını belirsizleştirmiş,
içlerinde bambaşka alanlar açmış mı? Ben de işlerimde "okul
budur", "araba fabrikası budur" demiyorum. Her işle izleyicinin kendi
tanımlarını yeniden yapabileceği bir alan açmaya çalışıyorum.

In my work, I don't necessarily intend to define or to reveal. Imagine
yourself writing a piece of poetry or a story for each encyclopaedic entry:
would you be categorising everything further, or would you be, on the
contrary, blurring the categorical boundaries, opening new spaces for
reflection in them? I don't make claims such as "this is what school is" or
"this is what an automobile factory is like". With each work, I attempt to
open a space where the viewers can make their own definitions anew.

ALİ KAZMA, "Ölüme Direnen Bir Otoportre" [A Self-Portrait That Resists Death],
Evrim Altuğ'un Emre Baykal ve Ali Kazma'yla söyleşisi |
Evrim Altuğ's interview with Emre Baykal and Ali Kazma, *Art Unlimited* 22 (2013)

Biyolojik tuvalin bu zaman zaman acı veren resimlenme süreci,
bedeni kendi kurguladığı yeni bir mitolojinin taşıyıcısına
dönüştürür. Beden üzerinde belirmekte olan resmin detaylarına
odaklanan yakın plan çekimler, görüntülerin yansıtıldığı
perdeyi, bedenin nefes alıp verişleriyle hareket, hacim ve
ritim kazanan bir resim yüzeyi gibi algılamamıza yol açar.

<u>Yaralama</u>
<u>Scarification</u>
2013

"Rezistans" serisinden |
From the series
"Resistance"
6′
Tek kanallı video
Single-channel video

İstanbul Kültür Sanat
Vakfı izniyle |
Courtesy of the
Istanbul Foundation
for Culture and Arts

Video kareleri
Video stills

This at times painful process of painting on the biological
canvas, transforms the body into the bearer of a new mythology
it has created for itself. Close-ups on the details of the painting
that slowly appear on the surface of the body enable us to
perceive the projection screen as the surface of a painting that
acquires movement, volume and rhythm as it breathes.

Emre Baykal, "Rezistans | Resistance",
Ali Kazma, Rezistans | Resistance (İstanbul: İKSV & YKY, 2013), s. 38 | p. 18

Videolarımı çekerken dünyanın içinde olduğumu, ona dokunduğumu; onun da bana dokunmasına izin verdiğimi düşünüyorum. Girdiğim mekânı kokusuyla, sıcaklığıyla, büyüklüğüyle, küçüklüğüyle, benim kendi bedensel oranımla hissedebilmem çok önemli. Eskiden, her gittiğim yeri kendime eklediğimi, oraya sahip olduğumu düşünürdüm. Artık her nereye giriyorsam, orasının da bana dokunduğunu, beni kendine eklediğini düşünüyor, hissediyorum. Siz Dünya hakkında düşünmeye başlar başlamaz, Dünya da sizin hakkınızda düşünmeye başlıyor. Baş döndürücü, sihirli bir durum!

Çelik Fabrikası
Rolling Mills
2007

"Engellemeler"
serisinden | From the
series "Obstructions"
8'

Tek kanallı video
Single-channel video

35
Üretim sürecinden
Production still

36–37, 38:
Video kareleri
Video stills

While I'm shooting, I feel that I'm inside the world, that I'm touching it as well as letting it affect me. It's very important for me to feel the space I'm in physically, with its warmth, scent and scale. I used to think that I was absorbing each space I entered, that I possessed these places. Now I feel that the space I enter also possesses me, and incorporates me into itself. As soon as you begin to think about the World, the World begins thinking about you. Such a fascinating, magical interaction!

ALİ KAZMA, "Ölüme Direnen Bir Otoportre" [A Self-Portrait That Resists Death], Evrim Altuğ'un Emre Baykal ve Ali Kazma'yla söyleşisi | Evrim Altuğ's interview with Emre Baykal and Ali Kazma, *Art Unlimited* 22 (2013)

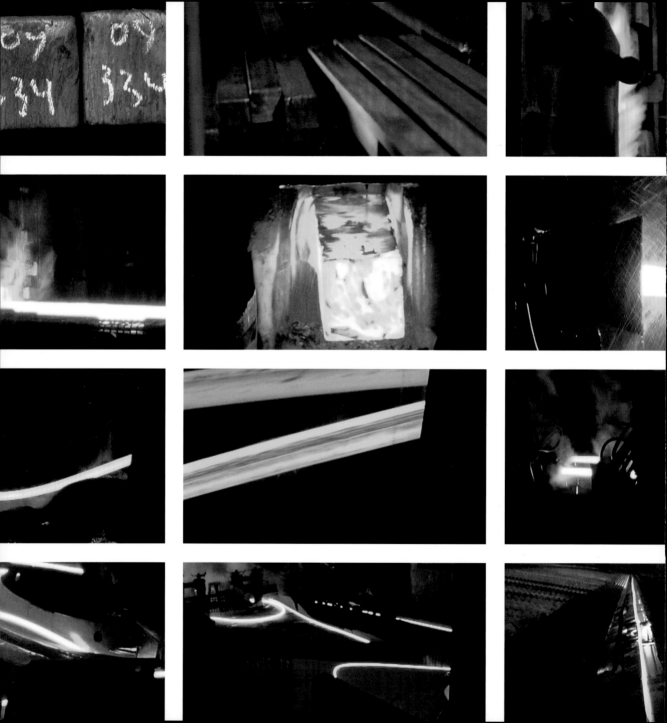

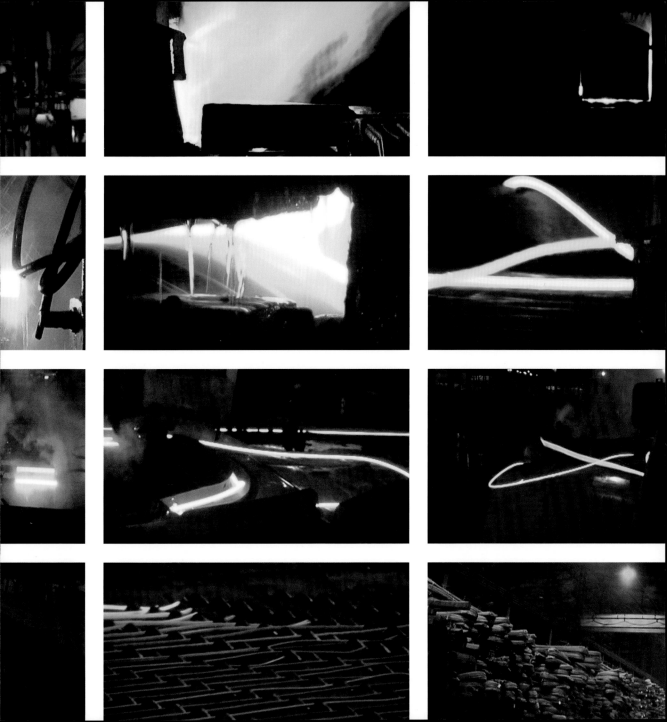

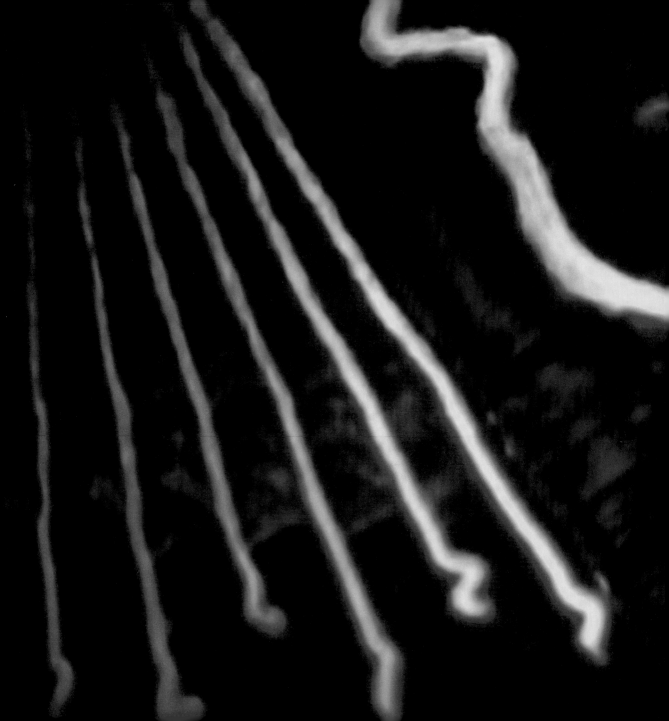

Çalışmanın mekanik düzenlenişi (burada tümüyle otomatize bir düzen) ile aşırı ısıtılmış madenden fışkıran saf şiiri böyle eşleştirmek güzelliğin nasıl her yerde olabileceğine ya da Ali Kazma'nın, Albert Renger-Platsch'ın belirttiği gibi "dünyanın güzel olduğunu" göstermek konusundaki yeteneğine ilişkin çok şey anlatıyor.

This way of combining the mechanical organisation of work (here totally automated) and the pure poetry of overheated metal tells us a great deal about Kazma's eye for the omnipresence of beauty and his skill at conveying how, as Albert Renger-Platsch famously put it, "the world is beautiful."

PAUL ARDENNE, "Ali Kazma. Düşünce Dolu Bir Bakış | A Pensive Gaze", *Ali Kazma. İşler | Works* (İstanbul, Genève: Galeri Nev & Galerie Analix Forever, 2011), s. 12 | p. 64

"Rezistans"ı oluşturan işler, pek çoğunda bir laytmotif gibi tekrarlanan ortak imgeler, eylemler ve sesler ile bunlar arasındaki benzerlikler aracılığıyla birbirlerine bağlanırken, bedenin topoğrafyasını 'iç', 'dış' ve 'zarf' olmak üzere, hepsi mekânsal referanslar taşıyan üç katmanda araştırıyorlar. Ali Kazma'nın kamerası, bir rezistans alanı olarak bu kabuğun kendisine ve ona yapılan müdahalelere baktığı kadar; bu yüzeyin altında olana, yani bedeni hem bir arada tutan hem de her an dağılıp yok olmasına yol açana, başka bir deyişle en materyal haliyle 'etin' alanına iniyor. Bir üçüncü katman ise, bedeni içine alarak onu şekillendiren, disiplin altına sokan, sürekli denetleyip kontrol ve gözetim altında tutan kurumsal/mekânsal kabuklar olarak karşımıza çıkıyor.

The works in the "Resistance" series are linked via common images, actions and sounds that are repeated like a leitmotif in many of them, and they explore the topography of the body via 'internal', 'external' and 'surface' layers, all of which bear spatial references. Ali Kazma's camera looks at this resistant shell and the interventions applied to it. It also descends into what lies beneath this surface, into the fabric that holds the body together yet also causes it to dissolve, in other words, into the field of flesh as the ultimate material state of the body. A third layer then emerges as the institutional/ spatial shells that surround and shape the body, discipline it, constantly inspect it and subject it to control and surveillance.

Anatomi
Anatomy
2013
"Rezistans" serisinden |
From the series
"Resistance"
4'
Tek kanallı video
Single-channel video

İstanbul Kültür
Sanat Vakfı izniyle |
Courtesy of the
Istanbul Foundation
for Culture and Arts

41, 42–43:
Video kareleri
Video stills

EMRE BAYKAL, "Rezistans | Resistance", *Ali Kazma, Rezistans | Resistance*
(İstanbul: İKSV & YKY, 2013), s. 36, 30 | p. 16, 10–11

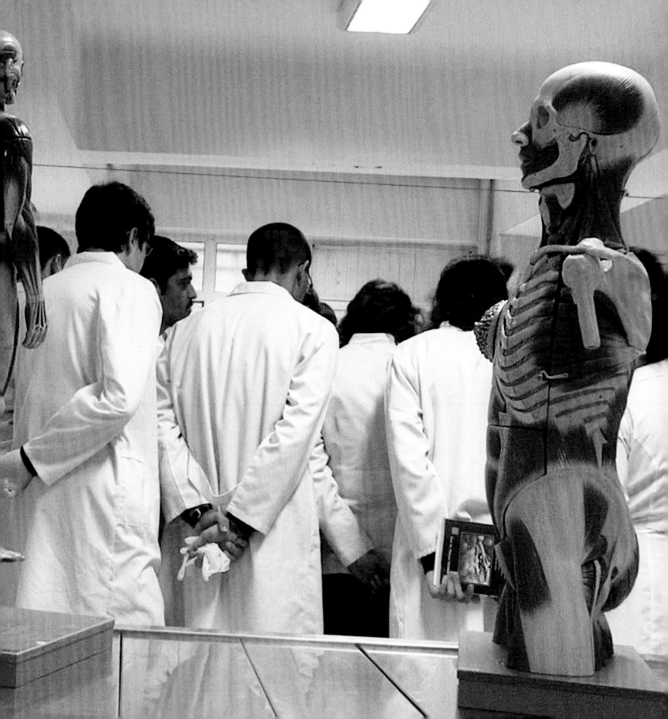

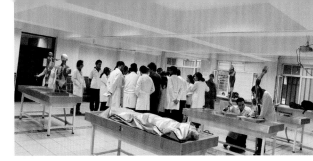

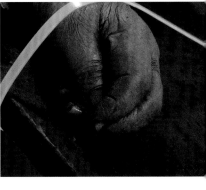

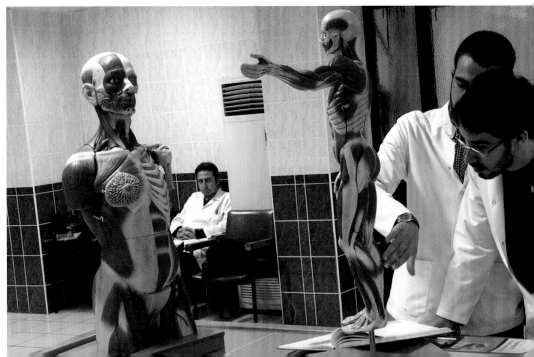

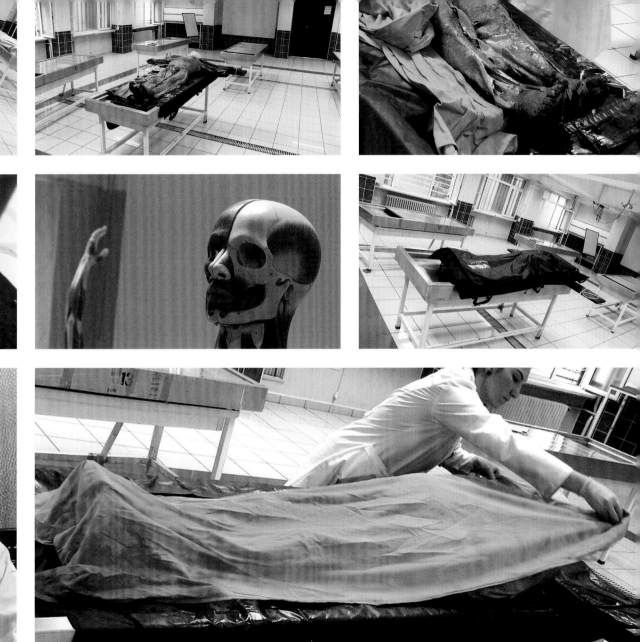

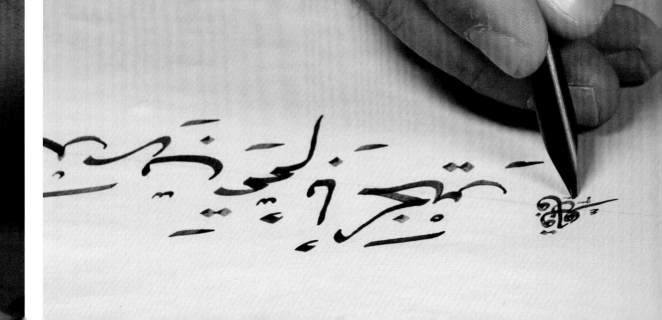

Ali Kazma'nın yapıtlarının sahnelediği faaliyetler, hem çeşitlilikleri hem de farklı derecelerde karmaşıklıkları içerir. Avuçlamak, tutmak, yakalamak, kapmak, iz sürmek, sadece 'şeyleri' değil, kültürü inşa etmemizi sağlayan en eski jest stokumuzu oluşturur. En arkaik 'doğal' aletimizin hâlâ tam uzmanlaşmamış ve ağza bağlı, onun hizmetinde olduğu zamanlarda ortaya çıkmış olan ilkel tekniktir bu. Rousseau'nun kurguladığı, dil de dahil olmak üzere bütün kültürel katman ve protezlerden soyunmuş o "doğal insan"ın bile dünyayı kendine ait ve kullanıma hazır kılmak için elleri vardır. Dış eklentilerin bedenin sınırlarını genişletmesinden de önce, ellerin ağızdan kopup özgürleşmesi, insanın zaten hep teknik ve kültürel, zaten hep zamana tabi olduğunun; insan 'doğası' denen şeyin de olsa olsa bir kurgu ve yapıntı olabileceğinin delili olsa gerekir.

The range of operations that Ali Kazma's works stage combine variety and degrees of complexity. Grasping, holding, catching, capturing, tracing constitute our ancestral stock of gestures to build not merely 'things' but culture; a rudimentary technicity that founds our most archaic 'natural' tool, at a time when it was still unspecialised and still bound to/serving the mouth. Even the "natural man" imagined by Rousseau, who has been stripped of all cultural layers and prosthetics, including language, has grasping hands to make the world *his* and available for him. Hands later freed from the mouth may be the proof that the 'nature' of man can only be a fiction and an artifice itself, insofar as he is already technical and cultural, already subjected to time, even before external implements come to stretch the limits of the body.

Hat
Calligraphy
2013

"Rezistans" serisinden |
From the series
"Resistance"
6'
Tek kanallı video
Single-channel video

İstanbul Kültür Sanat
Vakfı izniyle |
Courtesy of the
Istanbul Foundation
for Culture and Arts

44, 46–47:
Video kareleri
Video stills

Selen Ansen, bu kitap için yazdığı metinden | from the text she wrote for this book, 2014

Ali Kazma'nın bedeni ele alış biçimi, akla örümceğin stratejisini
getirebilir: Kamera belli bir mesafede sabitlenmiştir, ne uzaktır ne
de yakın. Bedenin kadraj içindeki konumlanma biçimi, harekete
olanak tanır. Burada görüntülenen insana yer vardır. İnsan kadraj
içinde ne boğulmuş ne de kaybolmuştur: Tıpkı örümceğin ağına
yakalanan bir avın hâlâ kıpırdayabilmesi gibi—en azından yırtıcı
böceğin pençesine düşene kadar. Buradaki avcı da izleme halindedir:
Ne yakından ne de uzaktan; bölmeden, ama büyük bir dikkatle.

Dans Topluluğu
Dance Company
2009

"Engellemeler"
serisinden |
From the series
"Obstructions"
10'
Tek kanallı video
Single-channel video

Üretim sürecinden
Production still

Ali Kazma's way of apprehending the body may bring to mind the
spider's strategy: the camera is set at a given distance, neither far nor
near. The body is caught in the frame in a way that allows the possibility
of action. Here, there is room for the human. It is not stifled, nor is it
lost: in the same way, the prey in the spider's web can move, or at least
it can until the predator has it at its mercy. This predator watches; it is
neither near nor far; not overwhelming or intrusive, but very attentive.

PAUL ARDENNE, "Ali Kazma. Düşünce Dolu Bir Bakış | A Pensive Gaze",
Ali Kazma. İşler | Works (İstanbul, Genève: Galeri Nev & Galerie Analix Forever, 2011), s. 22 | p. 71

Ali Kazma toplumsal, kültürel ve bilimsel katmanlarda bedeni şekillendiren ağları; 'beden olmak' ve 'bir bedene sahip olmak' arasındaki ilişkiyi, bir bilgi, denetim ve performans alanı olarak bedenin sonsuz olanak ve sınırlarında oluşan gerilimi, 'materyal beden', 'toplumsal beden', 'denetlenen beden', 'disipline edilmiş beden', 'çalışan beden' ve 'cinsel beden' gibi farklı tanım ve algılar içinde araştırıyor.

Kinbaku
2013

"Rezistans" serisinden |
From the series
"Resistance"
5'
Tek kanallı video
Single-channel video

İstanbul Kültür
Sanat Vakfı izniyle |
Courtesy of the
Istanbul Foundation
for Culture and Arts

50, 52–53, 55:
Video kareleri
Video stills

Ali Kazma researches the networks that shape the body within social, cultural and scientific layers and explores the relationship between 'being a body' and 'having a body' and the tension that emerges within the infinite possibilities and borders of the body as a field of information, control and performance. He does this under a range of diverse definitions and perceptions such as 'material body', 'social body', 'body under surveillance', 'disciplined body', 'body at work', and 'the sexual body'.

EMRE BAYKAL, "Rezistans | Resistance", *Ali Kazma, Rezistans | Resistance*
(İstanbul: İKSV & YKY, 2013), s. 32–33 | p. 12–13

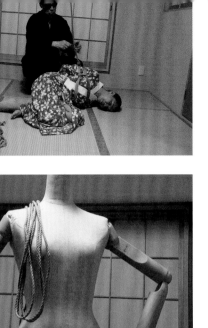
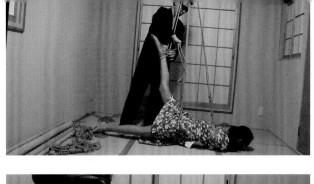

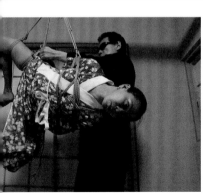

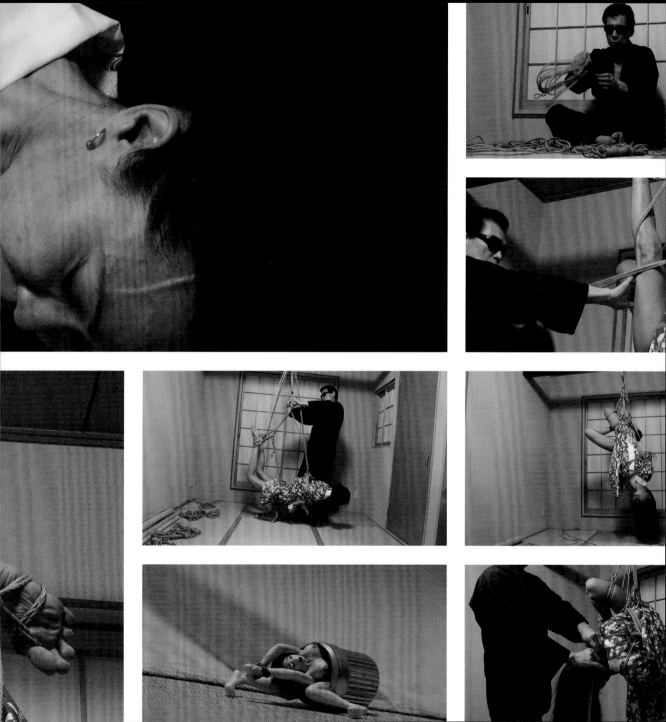

Yakınlık, nesnellik: Bu iki niteliği bir araya getirmek kolay değil.
İmgeler öznelerine fazla yakın olduklarında, izleyicinin gördüğüyle
özdeşleşmesi riski ortaya çıkar, bu da muhtemelen duyguların, acımanın
ve aşırı duyarlılığın kapılarını aralar. Öte yandan, imgeler fazlasıyla
aşikâr bir biçimde nesnel olduğunda ise izleyicinin bakışı donuklaşır,
hatta bazen kayıtsızlık noktasına varacak kadar nötr bir hal alır; bu
da imgelerin öznesinin bütün yoğunluğunu yitirmesine sebep olur.

Proximity, objectivity: these two qualities are not simple to combine.
If the images are too close to their subject, there is a risk that the
viewer will identify with what is seen, possibly opening the door
to emotions, to pathos and the excesses of sensibility. If, on the
contrary, they are too obviously objective, the viewer's gaze turns
cold, becomes neutral to the point, sometimes, of indifference,
so that the subject of these images loses all its density.

PAUL ARDENNE, "In It: Ali Kazma, his life and work - the incarnation of energy"
[İçinde: Ali Kazma, hayatı ve eserleri - enerjinin vücut bulması],
In It: Ali Kazma - Paul Ardenne (New York: C24, 2012), 9

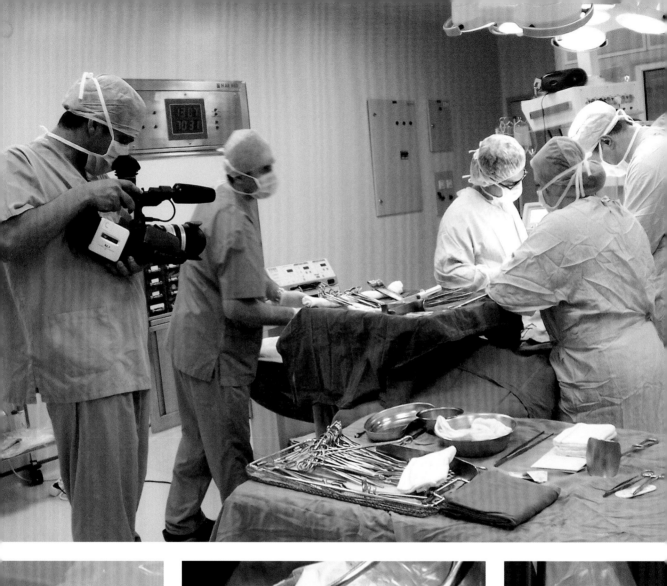

Ali Kazma'nın bütün işlerinde özneler kendi kurallarıyla belirirler. Ali bana insanların yanındayken ve elinde kamera ile onları çekerken, varlığını hissettirmemek, yok olmak için zaman içinde geliştirdiği taktiklerden bahsetti. Kamerayı onlara belli bir açıyla yöneltiyor; bir şey ilgisini çektiğinde, bunu hissettirmemek için yavaş hareket ediyor; soru sormuyor. Çektiği kişilerin hızla kendi işlerine gömüldüklerini söylüyor Ali. En sevdiği anlar ise ritmin bozulduğu, rutinin kırıldığı durumlar oluyor—mesela birinin bir şey düşürmesi hoşuna gidiyor.

In all of Kazma's works, the subjects come through on their own terms. He explains to me how over time he has developed tactics to disappear in front of people, even though he is holding the camera. He stands at an angle, he moves slowly to avoid alerting them when he is interested in something, he doesn't ask questions. He says that the people he films quickly get absorbed in their tasks, but his favourite moments are the irregular ones when the routine is punctured—for example, he loves it when someone drops something.

Beyin Cerrahı
Brain Surgeon
2006

"Engellemeler"
serisinden |
From the series
"Obstructions"
14'
Tek kanallı video
Single-channel video

Video kareleri
Video stills

sol üstte | top left:
Üretim sürecinden
Production still

HG Masters, "Replace, Alter, Adorn: Ali Kazma"
[Yerini Değiştir, Başkalaştır, Güzelleştir: Ali Kazma], *ArtAsiaPacific*, 2013

Ali Kazma kamerayı sadece imaj üreten bir araç olmaktan çıkarıyor. Bunu da, merceğin teknoloji, beden ve doğa ile ilişkisini siyasi açıdan üretim etrafında sorgulayan bir ajandaya dönüştürerek yapıyor. Emeğin kapitalleşme sürecinde, öznelerin kaydına kendi bakış açısının etki alanını işaretleyen bir gözlemci olarak, danstan performansa değişen bir datadan ince bir koreografi çıkarıyor.

Film
2013

"Rezistans" serisinden |
From the series
"Resistance"
8'
Tek kanallı video
Single-channel video

İstanbul Kültür
Sanat Vakfı izniyle |
Courtesy of the
Istanbul Foundation
for Culture and Arts

59, 60–61, 62:
Video kareleri
Video stills

Ali Kazma liberates the camera from its most basic function of producing images. He accomplishes this by transforming the ways in which the lens is related to technology, body and nature into an agenda whereby he questions this relationship politically around the idea of production. In the capitalisation process of labour, he inserts himself as an observer who marks the influence of his own viewpoint on the recording of subjects to create a delicate choreography out of a data ranging from dance to performance.

ADNAN YILDIZ, "Ali'nin Kamerası" [Ali's Camera], *Biamag*, 2012

İşlerin ritmik hareketleri neredeyse şiirsel bir 'kafiye' hissi yaratırken, kafiyenin sağladığı uyum ve güven hissi, işlerde gösterilen ağır sanayi makinelerinin şiddetli mekanik hareketleriyle bölünüyor, beklenmeyen, tam adı koyulamayan bir endişe içeri sızıyor; tekniğin-teknolojinin güven veren ritmiyle onun her an katastrofik bir tehlikeyi içinde barındırması, izleyicinin hissini tekinsiz bir ara alana çekiyor.

<u>Ev Eşyaları Fabrikası</u>
<u>Household Goods Factory</u>
2008

"Engellemeler" serisinden |
From the series
"Obstructions"
12'
Tek kanallı video
Single-channel video

Courtesy of
Francesca Minini, Milan
izniyle

Video kareleri
Video stills

These works generate what is almost a poetic feeling of 'rhyme', but the feeling of harmony and safety normally granted by rhyme is broken up here by the violent mechanical motion of heavy industrial machinery as an unexpected, ineffable anxiety seeps through; the security-inducing rhythm of technique/technology plus the fact that at every moment it harbours a catastrophic danger draws the feelings of the spectator into an ominous intermediary zone.

Suna Ertuğrul, "Ritim Olarak Sanat Eseri: Farkın Eklemlenmesi | The Work of Art As Rhythm: The Articulation of Difference", *Ali Kazma: Engellemeler | Obstructions* (İstanbul: YKY, 2010), 26–27

Performans nasıl seni tatmin eden bir mecra ise benim için de video öyle Jacques, çünkü her şeyi içinde barındırıyor: benim kendi hareketlerimi, arayışlarımı... Evet, yoğun bir biçimde gözlemliyorum ancak işlerimin çok fiziksel bir yanı da var; kameranın ağırlığı, onu tutuş şeklim, kameranın ve benim tek vücut olmamız—sonra montaj sırasında zaman, ritim, tekrar eden dokular, düşüncelerim; bunların hepsi işin içine giriyor.

For me the video, as for you the performance, Jacques, is a medium that fulfils me, because it contains everything, my own movements, my explorations... Yes I observe, intensely, then there is also a very physical part to my work, the weight of the camera, the way I hold it, the way my camera and I become one body—and then, when I edit, analysis comes in, reflection, work with time, rhythm, patterns.

Ressam
Painter
2011

"Engellemeler"
serisinden | From the
series "Obstructions"
10'
Tek kanallı video
Single-channel video

Courtesy of Analix
Forever Gallery izniyle

Video kareleri
Video stills

ortada | at the center:
Üretim sürecinden
Production still
Fotoğraf | Photo:
Julien Turpaud

Ali Kazma, "Jacques Coulais - Ali Kazma, Bir Söyleşi | A Conversation",
Ali Kazma: Engellemeler | Obstructions (İstanbul: YKY, 2010), 31

"Bir şair nasıl filme çekilir?" Bu soru, 2011'deki sergilerinden birini böyle adlandıran Ali Kazma için temel bir sorgulamaya işaret ediyor. Olası yaklaşımlardan biri, sanatçıları kendi işlerini ürettikleri yaratıcı ortamlarında görüntülemek olabilir. Ali Kazma bu yolu önce "Seramik Sanatçısı"nda Alev Ebüzziya Siesbye ile ve sonra "Ressam"da Jacques Coulais ile izlemişti. "Ev"de ise, sanatçının mahremiyetinin derinliklerine nüfuz ettiğini görüyoruz: Füsun Onur'un yaşadığı ve çalıştığı eve. Burada Ali Kazma bize yaratıcılığa giden zihinsel süreci saygı, içgörü ve duyarlılıkla örülü bir zarafetle anlatıyor.

Ev | Home
2014
"Rezistans" serisinden |
From the series
"Resistance"
5'
Tek kanallı video
Single-channel video

Vehbi Koç Vakfı izniyle |
Courtesy of the Vehbi
Koç Foundation

Video kareleri
Video stills

"How to film a poet"? This is a fundamental interrogation for Ali Kazma who entitled one of his 2011 exhibitions with this question. One approach is to film artists in their creative work, in their creative surroundings. Ali Kazma has first explored this path with Alev Ebüzziya Siesbye, the "Studio Ceramist", then with Jacques Coulais, "Painter". With "Home", he penetrates deeper into the intimacy of the artist—where Füsun Onur lives and works. Here, Ali Kazma indeed tells us about the mental process that leads to creation, with a delicacy that conjugates respect, insight, and acuity.

BARBARA POLLA, bu kitap için yazdığı metinden | from the text she wrote for this book, 2014

Zanaatın değerleri sanatla bazı noktalarda kesişse ve sanatla zanaat arasında geçişler mümkün olsa da aralarındaki temel ayrım şudur: Sanat, iyi çömlek ile kötü çömleği ayırt etmek yerine, çömlek nedir diye düşünür. Çömleği mümkün kılan fiziki, sosyal ve kültürel durumlar üzerine bir araştırma içerir. Dünyasını iyi çömlek yapmak üzerine kurmaz. İyi çömlek yapabilmenin bir düşünce olarak var olabildiği ve bu düşüncenin sonucu olarak oluşan standartları içinde barındırabilen dünyayı çömlek üzerinden sorgular. Bunların mümkün olmadığı, olamayacağı dünyaları hayal eder; çömleği sürekli sıfırdan, yeniden yaratmakla ilgilenir.

Even though the principles of arts and crafts overlap at some levels and some forms of transfer between these two are possible, there is an essential difference: Art reflects upon the existence and the meaning of the pot, rather than trying to differentiate between a fine pot and a poor one. It looks at the physical, social and cultural conditions that make the pot possible in the first place. Art does not necessarily build a set of standards on producing the finest pot. It instead questions, through the concept of the pot, the world which can bare the idea of creating a fine pot along with the standards deriving from this very idea. Art imagines other worlds where these ideas and standards are not even possible, concerning itself with creating the pot anew constantly.

Ali Kazma, "Zanaat Benim Belgelediğim Bir Konu" [Craft is a Subject I Document], a conversation with Ayşegül Sönmez'le söyleşi, *Evde Konuşmalar* (Baksı Kültür Sanat Vakfı, 2010)

Seramik Sanatçısı
Studio Ceramist
2007

"Engellemeler" serisinden | From the series "Obstructions"
17′
Tek kanallı video
Single-channel video

Üretim sürecinden
Production still

70–71:
Video kareleri
Video stills

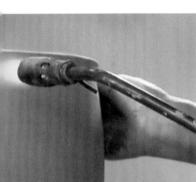

Kazma'nın imgeleri netlikleri, uygunlukları ve etkili oluşlarıyla dikkati çekiyor. Her şey ölçülmüş, büyük bir özenle yakalanmış. Yapıtlarında bir saatin keskin hassasiyeti hissediliyor.

Kazma's images are remarkable in their precision, aptness and effectiveness. Everything is metered, measured, rigorously captured. The work has horological precision.

Baskı Atölyesi
Printing Studio
2012

"Engellemeler"
serisinden | From the
series "Obstructions"
11'
Tek kanallı video
Single-channel video

Courtesy of Maison
Européenne de la
Photographie &
Analix Forever Gallery
izniyle

Video kareleri
Video stills

PAUL ARDENNE, "In It: Ali Kazma, his life and work - the incarnation of energy"
[İçinde: Ali Kazma, hayatı ve eserleri - enerjinin vücut bulması],
In It: Ali Kazma - Paul Ardenne (New York: C24, 2012), 10

"Saat Ustası"nda bir sürü zanaatın orkestrasyonunu görüyoruz—büyük bir orkestra için yazılmış bir eser gibi. Küçük zanaatlar katlana katlana birbirine eklendiği için ustanın uğraştığı şeyin çok kritik, yaşamsal bir şey olduğunu hissedebiliyoruz. Zamanı yönetmeye ihtiyacı olan modern çağın içinde büyümüş yaşamsal bir işlev bu. Hayranlıkla izlediğimiz adam, toplumu senkronize eden bu temel aracı, zamanı yeniden kusursuz bir hassasiyetle gösterecek orijinal, hatasız haline geri getiriyor. Vaktiyle dünyanın başka bir yerinde bu saati yapan adamla şimdi onu tamir eden adamın ortak noktaları bu küçük zanaatların ve orkestrasyonun dilini konuşuyor olmaları. Burada çok büyük bir bilgi var.

Saat Ustası
Clock Master
2006

"Engellemeler"
serisinden | From the
series "Obstructions"
15'
Tek kanallı video
Single-channel video

Üretim sürecinden
Production still

76–77
Video kareleri
Video stills

In "Clock Master", we see the orchestration of many crafts—like a musical piece written for a large orchestra. As these small crafts gradually add up to each other, we can feel that what the clock master is dealing with is something vital and critical. It's a vital function fostered within the modern era, which has to govern time. This man, whom we watch with admiration, restores this basic tool that synchronises society, reinstating its original, flawless condition to measure time with perfect accuracy. What's common to the man who made that watch way back some time, in another part of the world and the man fixing it now is that they both speak the language of these crafts and of this peculiar orchestration. A great deal of knowledge is concentrated here.

CEVDET EREK, Ali Kazma'yla bu kitap için yaptıkları söyleşiden |
from the conversation they held with Ali Kazma for this book, 2014

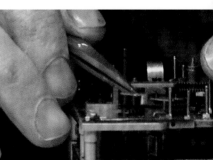

Şey dünyayı taşır, herhangi bir 'şey', içinde yer aldığı dünyanın kültürel, tarihsel, toplumsal izlerini taşır, onlarla birlikte gelir. Bir 'şey'de onun içinden geldiği kültürel örgütlenmeyi okuruz. Bir kot pantolon, bir saat, bir ipod, bir tencere, bir ameliyathane, bir mezbaha, hepsi içinden geldiği dünyanın nasıl bir dünya olduğunu söylerken, tarihin izlerini taşırken aynı anda o 'dünya'nın tarihselliğini bize açar ve gösterir. Gündelik kullanım içinde fark etmeyiz bunu. 'Şey'in 'dünya'yı taşıdığını, zamanın bir işareti olduğunu, tarihin o 'şey'de somutlandığını, mevcudiyet kazandığını görmeden geçeriz. Şey kendini siler, biz onları kullanırız, dünya geriye çekilir, zamansallığının üstü örtülür.

Mutfak
Cuisine
2009

"Engellemeler" serisinden | From the series "Obstructions"
10'
Tek kanallı video
Single-channel video

Courtesy of Bibracte Museum & Parc Saint Léger izniyle

Üretim sürecinden
Production still

The thing bears up the world, any old 'thing' bears up and exists together with the cultural, historical and social imprints of the world it occupies. In a 'thing' we read the cultural organization from which it has arisen. A pair of blue jeans, a watch, an ipod, a frying pan, a hospital, a slaughterhouse—they all tell us what kind of world they have emerged from, and because they carry the imprints of history they also elucidate and show to us the historicity of that 'world'. In the act of everyday use we don't notice this. We pass by unheeding, without seeing that the 'thing' bears up the 'world', that it is a sign of time, that history becomes concrete and gains existence in that 'thing'. The thing effaces itself, we use it, the world retreats, its temporality is covered up.

SUNA ERTUĞRUL, "Ritim Olarak Sanat Eseri: Farkın Eklemlenmesi | The Work of Art As Rhythm: The Articulation of Difference", *Ali Kazma: Engellemeler | Obstructions* (İstanbul: YKY, 2010), 20–21

Ameliyathane, atölye, mezbaha, fabrika veya prova odası kamusal
yerler değiller. Gözden uzaktalar. Ali Kazma, bu yerlere özenli ve
sabırlı bir tutumla yaklaşıyor. Çekim yaparken devam etmekte
olan eylemi etkilememek ve çalışma düzenini bozmamak için
kendini mekânın bir parçası haline getirmeye çalışıyor. Hareket
halindeki insanlar onun varlığını unutuyor ve dış görünüşleri
veya verdikleri resim ile ilgili kaygılarını bir kenara bırakıyorlar.
İncelikli bir operasyonla seri üretim bandı arasında, herkes
durdurulamayacak bir vazifenin yürütülmesiyle meşgul.

Mezbaha
Slaughterhouse
2007

"Engellemeler"
serisinden | From the
series "Obstructions"
10'
Tek kanallı video
Single-channel video

Video kareleri
Video stills

sol altta | below left:
Üretim sürecinden
Production still
Fotoğraf | Photo:
Emre Mermer

An operating theatre, a studio, a slaughterhouse, a factory and a
rehearsal room; these are not public places. They elude the eye. In
them, Ali Kazma negotiates his entry and develops a patient art of
approach. As he shoots, he blends in with these surroundings so as
not to infringe upon the actions underway, or disturb the working
conditions. The bustling protagonists forget his presence and do not
worry about the picture they might be—or would want to be—giving
of themselves. Between a delicate operation and assembly-line work,
everyone is involved in the execution of a task that cannot be stopped.

MO GOURMELON, "Obstructions: Tense, dense and well-paced films"
[Engellemeler: Sıkı, yoğun ve tempolu filmler], sergi kataloğu |
exhibition catalogue (Roubaix: Espace Croisé, 2009), 24

ÖNCE
İŞ
GÜVENLİĞİ

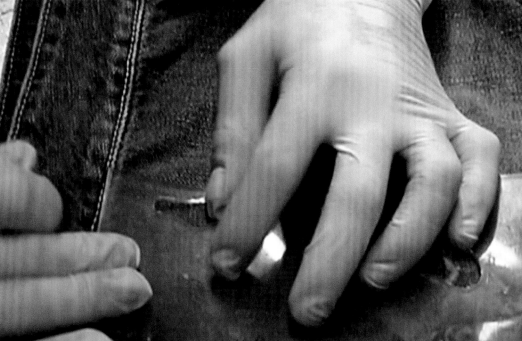

Ali Kazma'nın *yaklaşımı*, şeyleri yakınlaştırmak, erişilebilir kılmak ve onlar üzerindeki otoritemizi tasdik etmek için hareketli veya fotografik imgenin vadettiği yakınlığa yaslanmaz. Her ne kadar mesafe görünürlükle bir miktar indirgenmiş de olsa, Kazma'nın görüntüleri şeylerin mesafesini hiçbir zaman ehlileştirmez veya tamamen ortadan kaldırmaz. 'Nesnelliği' garanti altına alan bir ayrışmanın aksine, korudukları veya güçlendirdikleri mesafe sadece şeylere içkin bir nitelik değildir; aynı zamanda yabancı veya geçmişten gelen şeylerin bize yaklaşması için neredeyse gerekli bir aralığa dönüşür—kolektif hafızayı canlandırmaları, hayatlarımıza eklenmeleri ve kendi varlığımıza dokunmaları için gerekli bir mesafe.

Ali Kazma's *approach* does not rely on the intimacy granted by the filmic or photographic image to make things closer, thus reachable and uphold our authority upon them. No matter how much it is reduced by visibility, the distance of things is never tamed or fully eradicated by his images. In contrast with the sort of detachment that guarantees 'objectivity', the distance they preserve or strengthen is not merely a property inherent in things; it becomes almost a necessary gap for things past or foreign to arrive at us, enliven collective memory, graft our lives and touch our own being.

Kot Fabrikası
Jean Factory
2008

"Engellemeler"
serisinden | From the
series "Obstructions"
12'
Tek kanallı video
Single-channel video

Courtesy of
Francesca Minini,
Milan izniyle

82, 85, 86:
Video kareleri
Video stills

SELEN ANSEN, bu kitap için yazdığı metinden | from the text she wrote for this book, 2014

Ali Kazma'nın kamerası mekânlarda kendini öne çıkarmıyor; varlığı olabildiğince saygılı; hatta öylesine ihtiyatlı ki, neredeyse varlığı unutulabilir. Bunun sonucu olarak da yapıtlarındaki 'çalışan'lar hiçbir zaman kameranın farkında olan oyuncular gibi değil, her zaman tamamıyla işine gömülmüş adamlar ve kadınlar olarak görünüyor.

Ali Kazma's camera is unassertive, his presence as discreet as he can make it, discreet enough to be forgotten. As a result, these 'workers' never come across as actors but always as men and women totally absorbed in their work.

ALAIN DREYFUS, "All in a Day's Work", *Savoire-faire* sergi metni | exhibition text, artnet.fr, 2010

Ali Kazma'nın yapıtı sadece görünüşte 'iş'i konu alır. Daha ziyade, çeşitli 'iş'ler aracılığıyla zamana ilişkin bir şeyler keşfetmeye ve daha önce kendisinin de ifade ettiği gibi, kendi hayatını nasıl yaşayacağını öğrenmeye çabalar. Videolarında yakalananlar hareket ve enerji imgeleridir ve o da yorulmak bilmeden bu imgelerin gizemlerini sorgular.

Ali Kazma's art is about work as such only in appearance. What he is trying to do, rather, through various forms of activity, is to learn something about time, and as he puts it so well, to learn how to live his own life. In the end, though, what his videos try to capture are indeed images of actions and energy. That is the mystery he tirelessly seeks to probe.

Régis Durand, "Kitabı fotoğraflamak: beden, arşiv, etik | Photographing the book: body, archive, ethics", *Kitap | Book | Livre: Ali Kazma*, ed. Régis Durand (İstanbul: Galeri Nev, 2013), s. 14 | p. 26

Çalışma temasını ana tema olarak benimsemek, sanatın iç çağrısını gerçekten yeniden bulmak demektir. Duyuları hoşnut etmeye yönelik, salt betimlemeden oluşan amaçsız bir sanat, ya da göstergelere aç şu dünyamıza hep daha fazla kozmetik parıltı vermeyi amaç edinmiş bir sanat değildir söz konusu olan. İnsanlık durumunu anlamaya yönelik bir poetika olarak varolan sanattır. Ali Kazma da bu çerçevede, yaşamlarımızın özünü oluşturan şeyi, yani çalışmayı araştırarak ve onu bir yüceltme dinamiğine oturtarak metaforlaştırıyor. Bu görüntüler gerçeğin ta kendisiyle dolu ama yüce olan da asla uzakta değil. İzleyici ekrana kilitlenir, kabullenme ve büyülenme duyguları arasında gidip gelir: Evet, insanlar böyle yaşar işte.

To take work as one's main theme is to recover the vocation of art, an art that is not representation without an object, made solely for the pleasure of the senses, or simply to provide our sign-hungry world with yet more cosmetic glitter. This is art as a poetics of appreciation, working close to our human condition. To explore images of work as Ali Kazma does is to metaphorise the essential part of our lives, activity, by setting it within a dynamics of elevation. These images are filled with reality, but the sublime is never far away. Glued to the screen, the viewer moves between acquiescence and fascination: yes, this is how men live.

Tahnitçi
Taxidermist
2010
"Engellemeler"
serisinden | From the
series "Obstructions"
10'
Tek kanallı video
Single-channel video

Courtesy of
Hermès Entreprise
Foundation izniyle

89, 90:
Üretim sürecinden
Production still

92–93:
Video kareleri
Video stills

PAUL ARDENNE, "Ali Kazma. Düşünce Dolu Bir Bakış | A Pensive Gaze",
Ali Kazma. İşler | Works (İstanbul, Genève: Galeri Nev & Galerie Analix Forever, 2011), s. 11 | p. 62

Ali Kazma'nın filmleri salt insan emeğini belgelemek ve arşivlemekle, 21. yüzyılda toplumun bir 'resmini' çizmekle ilgili olsaydı; sanatçının niyeti insan emeğini sanatsal yüceleştirme yoluyla *yapıt* mertebesine çıkarmak olsaydı, kendi *işi* el ve alet kullanımına bağlanmış (hatta zincire vurulmuş) ve kapitalist mekanik bilgelikle bağlantılı ustalığın sınırsız olanaklarıyla sınırlanmış olurdu. Kazma'nın kaygısı, bu ellerin ve aletlerin aslında *ne yapabileceklerini* göstermek değil, daha ziyade tuttukları zamanı ve içerdikleri dünyayı *sunmak*, açmak, bir başka deyişle onlara mevcudiyet kazandırmak olsa gerek.

If Ali Kazma's films were solely about documenting and archiving human labour, making a picture of society in the 21st century; if his intention were to raise human labour to the rank of work through the sublimation of art, his own *work* would certainly be bound, if not chained, to hands and tools of all sorts and be limited to the limitless possibilities of human mastery allied with capitalist mechanic wisdom. His concern, then, may not be to show what these hands and tools can actually *do* but rather allow them to *present*, that is bring to presence, the time they hold and the world they bear.

SELEN ANSEN, bu kitap için yazdığı metinden | from the text she wrote for this book, 2014

"Rezistans", bilimsel, kültürel ve toplumsal araçlar yoluyla bedenin bugün nasıl şekillendirildiğini, bir icra alanı olarak nasıl tekrar tekrar yeniden üretildiğini araştırıyor. Diğer bir deyişle seri, yaratıcı bir güç olan bedenin üretim aktivitesini doğrudan beden üzerine taşıyor; üreten ve üretilen, şekil veren ve şekillenen, bedenin kendi maddeselliğinde birleşiyor.

"Resistance" explores the ways in which the body is shaped today through scientific, cultural and social tools, and how as a performance site it is repeatedly reproduced. In other words, the series conveys the productive activity of the body as a creative force directly onto the body itself: the producer and the produced, the shaper and the shaped are united here in the materiality of the body.

Dövme
Tattoo
2013

"Rezistans" serisinden |
From the series
"Resistance"
8'
Tek kanallı video
Single-channel video

İstanbul Kültür
Sanat Vakfı izniyle |
Courtesy of the
Istanbul Foundation
for Culture and Arts

95, 96–97:
Video kareleri
Video stills

EMRE BAYKAL, "Rezistans | Resistance", *Ali Kazma, Rezistans | Resistance*
(İstanbul: İKSV & YKY, 2013), s. 29 | p. 9–10

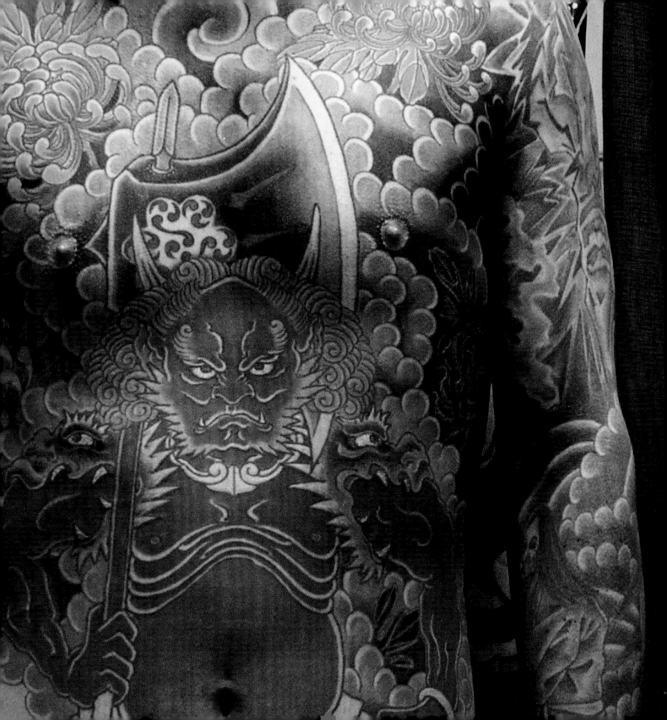

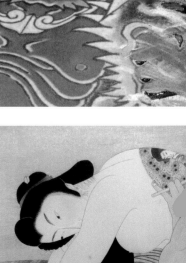

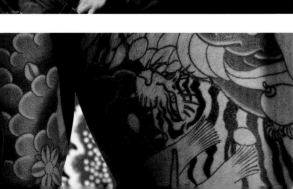

Kazma'nın yapıtında zaman bir kavram olarak şimdinin ve optik yakalayışın zamanı değildir sadece; aynı zamanda geçmişin şimdiye yansıtılmış, geçmiş tarafından çağırılmış halidir. Şiir diliyle söylemek gerekirse, Kazma bunu yaparken, başka şeylerin yanında hayaletleri de kullanıyor: Bize gösterdiği görüntülerin boşluklarını hayaletler dolduruyor ve bunu yaparken de "boşluk" kavramının kendisini ortadan kaldırıyorlar. Burada, boşluk yoktur. Doluluğun tekrar varolacağına dair bir vaat ve doluluğun vuku bulduğunu gösteren bir işaret vardır.

Yokluk
Absence
2011

İki kanallı video,
sonsuz döngü |
Two-channel video,
endless loop

Courtesy of
SKOR, Amsterdam &
CBKU, Utrecht izniyle

98, 101:
Üretim sürecinden
Production still

102–103:
Video kareleri
Video stills

In Kazma's work, time as a concept is not only the time of the present, of optical capture; it is also the time of the past projected into the present, summoned up by the present. Poetically speaking, to do this, Kazma uses, among other things, the strategy of the spectral: ghosts fill the void that his images show us, and in so doing, destroy this very notion of the void. Emptiness, here, does not exist. It is the promise of fullness and the sign that fullness has occurred.

PAUL ARDENNE, "Ali Kazma and Paul Ardenne, a conversation with Barbara Polla"
[Ali Kazma ve Paul Ardenne, Barbara Polla'yla bir sohbet],
In It: Ali Kazma - Paul Ardenne (New York: C24, 2012), 47–48

Uzun zamandır savaş makinesi fikriyle ilgileniyor ve tarihin itici
güçlerinden biri olarak savaşı işlerime dahil etmek istiyordum. Çok
işlenmiş, şeytanlaştırılmış, televizyonda gösterilmiş, kurmacaya konu
edilmiş, ahlaki yanı vurgulanmış, istismar edilmiş, basitleştirilmiş ve
farsa dönmüş olduğu için üzerinde çalışması zor bir konu... Düşündükçe
bu konu üzerine yapılabilecek her şey bir biçimde tüketilmiş gibi
geliyordu. Fakat kendi yapıtlarında bütünlüğü arayan herhangi bir
sanatçının bu konuyu işlerine dahil etmemesi mümkün mü?

For a long time I have been interested in the war-machine and wanted
to include it in my body of work as one of the forces of history. A
difficult subject to work on as it has been explored, demonised,
televised, fictionalised, moralised, exploited, simplified, turned
into farce... It seems like all that can be done with it has been
exhausted in one way or another. But can any artist who targets a
kind of unity in his/her work afford not to include this subject?

ALİ KAZMA, interview by Francesca Cogoni'nin söyleşisi, *Drome Magazine*, 2012

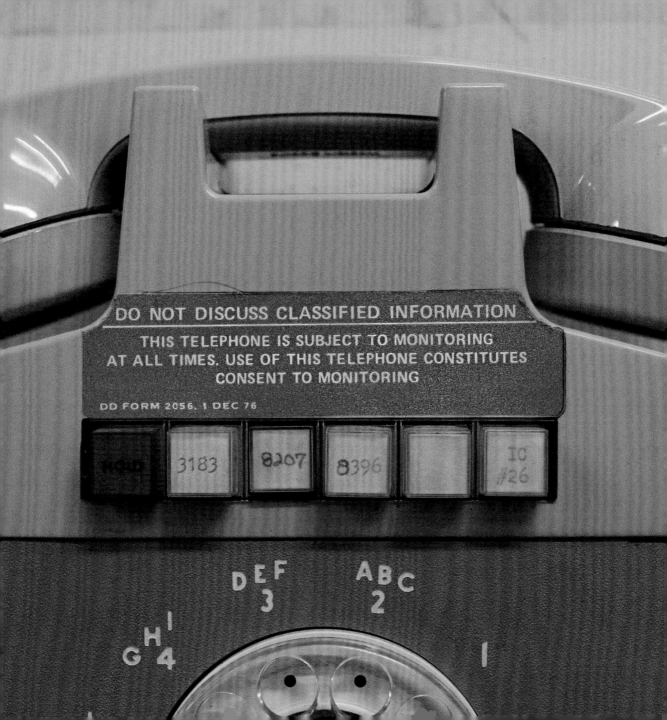

Ali Kazma, 'disiplin ve denetim toplumu'nun beden üzerinde iktidar kurduğu kurumsal mekânlarla ve bu mekânların mimari organizasyonuyla ilgileniyor. "Cezaevi"nin birbirini izleyen durağan, neredeyse fotografik imgelerinde bedene hemen hemen hiç yer vermiyor ve zamanı hiçbir yöne doğru ilerlemeyen kapalı bir çevrim içinde donduruyor. Bu iş, bireyin toplumsal ve ideolojik aygıtların belirlediği düzen ve ilkeler tarafından terbiyesini yalnızca mekânsal düzenin ima ettiği kadarıyla, ya da bedenin mekânda bıraktığı izler üzerinden okumaya açıyor. "Cezaevi"nde mahkûmları yalnızca güvenlik monitörlerinden göstermeyi seçen Ali Kazma, bedenin kontrolü ve terbiyesine ilişkin stratejileri, mekânın kendi verilerini kullanarak yapıtın içine taşıyor. Tüm bu dondurulmuş imgeler, özgürlüğü kısıtlanmış bedenin, beton bir kabuk içinde ehlileştirilme sürecine aitler.

Cezaevi
Prison
2013

"Rezistans" serisinden |
From the series
"Resistance"
5'
Tek kanallı video
Single-channel video

İstanbul Kültür
Sanat Vakfı izniyle |
Courtesy of the
Istanbul Foundation
for Culture and Arts

104, 106–107:
Video kareleri
Video stills

Ali Kazma investigates the institutional spaces of the 'society of discipline and surveillance', and their architectural organisation that performs the imposition of power on the body. In the consecutive, static, almost photographic images in "Prison", the human body is mostly absent and time is frozen in a closed cycle that does not progress in any direction. The discipline imposed on the individual by the order and principles of the social and ideological apparatus unfolds through the implications of the spatial organisation, or the traces left in space by the body. In "Prison", he chooses to show the inmates only via the surveillance monitors, and conveys the strategies of control and discipline into his work using the data provided by the space. All these frozen images belong to the domestication process of a body whose freedom has been restricted in a concrete shell.

EMRE BAYKAL, "Rezistans | Resistance",
Ali Kazma, Rezistans | Resistance (İstanbul: İKSV & YKY, 2013), s. 40 | p. 20–21

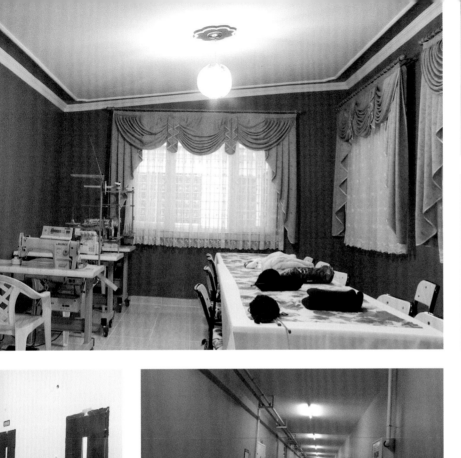

Ali Kazma'nın filmlerinin yoklukla bir bağları varsa eğer, bunun
hafızayla unutuş arasındaki bağa benzer bir örtük anlaşma olduğunu
düşünüyorum. Kamera teslim olmadığı ve ekran da yas tutmak yerine
panoptik gözün doğasını cisimleştirmek, hâkimiyetini gözler önüne
sermek için ikiyle, üçle, hatta neredeyse sonsuzla çarpıldığı için; hâlâ
zaptedilecek, görülecek bir şeyler olduğu için; ve göz her şey yok olup
gittikten sonra geride kalanlara tutunduğu için, film bir yokluğu onaylayıp
sunmaktan ziyade bir mevcudiyetin izlerini takip eder gibi görünür.
Geriye kalanlar—boş odalar, masalar, sandalyeler, koridorlar, yataklar,
çizimler, gündelik nesneler—orada yaşayanların arkalarında bıraktığı
boşluğu doldurmak için değil, tam da bu boşluktan kendi hayaletsi
mevcudiyetlerini açığa çıkarmak, somutlaştırmak için oradadırlar.

If Ali Kazma's films are committed to absence, I think that this must be the
kind of commitment, or tacit agreement, that memory has with oblivion.
Since the camera has not surrendered, and the screen is not mourning but
is instead multiplied by two, three, or almost *ad infinitum* so as to embody
the dispositive of the panoptical eye and reveal its sovereignty; since there
is still something to seize, something to see; since the eye holds on to what
remains when the rest is gone, the film seems rather to track the traces of
a presence than confirm an absence and bring it forward. The remaining
remains—empty rooms, tables, chairs, corridors, beds, drawings, everyday
objects—have not taken over the place left vacant by the residents, they
rather reveal and materialise from that very vacancy their ghostly presence.

Okul
School
2013

"Rezistans" serisinden |
From the series
"Resistance"
5'
Tek kanallı video
Single-channel video

İstanbul Kültür
Sanat Vakfı izniyle |
Courtesy of the
Istanbul Foundation
for Culture and Arts

109, 110–111:
Video kareleri
Video stills

SELEN ANSEN, bu kitap için yazdığı metinden | from the text she wrote for this book, 2014

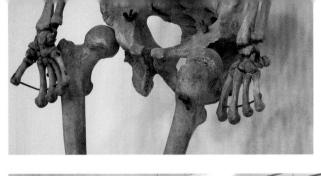

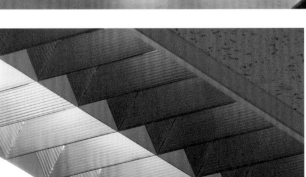

Bilim insanlarının elleri geçmişten bir nesneye dokunup, üzerindeki tozu toprağı temizlerken geçmiş, şimdiki dünyamıza girer. 'Şimdi' geçmişi kazıp çıkarır, geçmiş şimdiye doğru akar ve birleşim tamamlanır—burada üçüncü bir katman daha vardır, o da sanat yapıtının kendisidir. 'Şimdi' düşüncesi anlatılabilecek bir şey değildir—geçmiş, kazı yapan el aracılığıyla yeniden yüzeye çıkarken aynı anda şimdi de geçmişe dönüşür ve sanat yapıtı bu durumun imkânsızlığını kayda geçirip sabitler—'şimdi' fikrini anlamak mümkün olmayabilir ama insan bunun kavranamayacak bir düşünce olduğunu anlayabilir en azından. Sanatsal zaman, zamanın kara deliğini 'tamir eder', ona bir biçim verir; böylelikle hakkında konuşabilmeye başlarız.

Geçmiş
Past
2012

İki kanallı video, sonsuz döngü | Two-channel video, endless loop

Courtesy of
Le Jeu de Paume
izniyle

112, 117:
Üretim sürecinden
Production still

114–115:
Video kareleri
Video stills

As the hands of these scientists touch and remove the dirt on an artefact from the past, the past enters our present world. The present digs up the past and the past is flowing into the present and the fusion is complete—and we have a third layer here, i.e., the artwork itself. The idea of the present is not an idea that can be explained—the past is resurfacing via the hand that is digging and at the same moment the present becomes the past and the artistic work fixes the very impossibility of this situation—it is impossible to grasp this idea but one can understand that one can't grasp it. Artistic time 'fixes' the black hole of time, gives it a kind of form, around which we can start to talk about it.

ALİ KAZMA, "Ali Kazma and Paul Ardenne, a conversation with Barbara Polla"
[Ali Kazma ve Paul Ardenne, Barbara Polla'yla bir sohbet],
In It: Ali Kazma - Paul Ardenne (New York: C24, 2012), 49

B999	30	PC 4	Lausanne

58 - 59 - 61 - 62 (autre carton) - 63 -
65 - 66 - 68.

Dépôt NON Métal

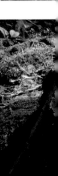

Ali Kazma'nın bazı filmleri, tarihin ve aktarımın çizgisel zamanı
içerisinden tekrarın ve yeniden oluşun dairesel zamanını yeniden
tesis ederler. Bu da şeylerin ve varlıkların birbirlerini zaman içinde
takip ettikleri kronolojik zaman yerine, birbirlerine bağlı oldukları,
büyülü düşünceye özgü zamanı geri çağırır. Ekrana gördüğümüz
ellerin çizdikleri, izini sürdükleri ve ortaya çıkardıklarıyla yüzleşecek
kadar uzun süre baktığımızda, onlardaki yüzün ve portrenin
tekeli altında olduğu tarihsel olarak kabul edilmiş anlatımsal
gücü keşfedip şaşırabiliriz. Birer yüz olmamalarına rağmen.

Some of Ali Kazma's films restore the circular time of repetition and
recurrence from within the linear time of history and transmission.
This brings back the time proper to magic thinking where things
and beings are tied to each other instead of following each other as
in chronological time. If we look long enough to endure what these
hands trace and unfold, we might be surprised to discover in them
an expressive force that has been historically construed as the
monopoly of the face and of the portrait, although face they are not.

Selen Ansen, bu kitap için yazdığı metinden | from the text she wrote for this book, 2014

CALCAIRE

AIB 12 / 752 / 40. IGN Est / 1356

ances of the w
nses, is there or
ty?

'Şimdi' zorlayıcı bir kavramdır. Peki gerçekten var mıdır? Evet, elbette vardır. Hatta tek varolanın o olduğu bile söylenebilir: Sonsuz akışıyla zaman, yayılıp genişleyen bir enstantaneden başka bir şey değildir. Ama işte mesele de budur: Sadece bilinci, duyuları, metafizik-ontolojik bir kendini zamana tutturma zorunluluğu olan biz insanlar (hiç kimse, Himalayalar'daki bir manastırda levitasyon yapan bir Budist rahip bile, dünyadan tamamen kopmuş halde yaşamaz)—şimdinin varolduğunu biliriz, çünkü geçmiş, düşüncelerimizle dolu bu bedenlerimizi inşa etmiştir.

<u>Yazılan</u>
<u>Written</u>
2011

Çok kanallı video, sonsuz döngü |
Multi-channel video, endless loop

Vehbi Koç Vakfı izniyle |
Courtesy of the Vehbi Koç Foundation

Üretim sürecinden
Production still

120–121:
Video kareleri
Video stills

The present is a torturing concept. Does it exist? Yes, of course. One could even say that it is all that exists: time is, in its endless passing, a spreading snapshot and nothing else. But there you have it: we humans, who have consciousness, senses, a metaphysicoontological imperative to fix ourselves in time (nobody lives in total detachment from the world, not even a Buddhist monk levitating in a Himalayan monastery)—we only know that the present exists because the past has built us this body endowed with the thoughts that we have.

PAUL ARDENNE, "Ali Kazma and Paul Ardenne, a conversation with Barbara Polla"
[Ali Kazma ve Paul Ardenne, Barbara Polla'yla bir sohbet],
In It: Ali Kazma - Paul Ardenne (New York: C24, 2012), 50

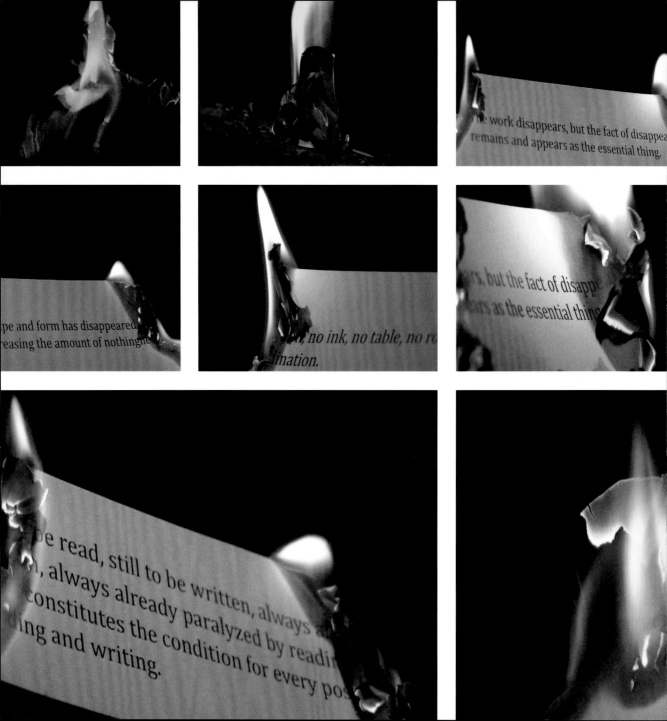

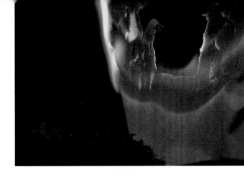

Another yea
Hat in my hand,
Sandals on my

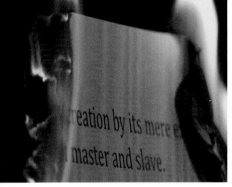

reation by its mere e
master and slave.

ay there is life... And the
here is death.

ittle more ord

pears, but
pears as the

or
nd this co

Ali Kazma, bedeni zihnin ve ruhun tabutu, kafesi ya da onları hapseden hücre olarak mekânsallaştıran metaforun karşılığını mimaride ve mekânın organizasyonunda ararken bedenin kendisini neredeyse hiç göstermese de, kamerasını sürekli onun kontrolünü, denetimini, terbiyesini hatırlatan mekânlara yöneltiyor.

Ali Kazma seeks the counterpart of the metaphor that spatialises the body as a coffin, cage or prison of the mind and the spirit in architecture and spatial organisation. Although he almost never shows the body itself in these works, his camera targets the sites that recall the control, discipline and restriction of the body.

Vücut Geliştirme
Bodybuilding
2013

"Rezistans" serisinden |
From the series
"Resistance"
6'
Tek kanallı video
Single-channel video

İstanbul Kültür
Sanat Vakfı izniyle |
Courtesy of the
Istanbul Foundation
for Culture and Arts

122, 124–125:
Video kareleri
Video stills

EMRE BAYKAL, "Rezistans | Resistance",
Ali Kazma, Rezistans | Resistance (İstanbul: İKSV & YKY, 2013), s. 31 | p. 11

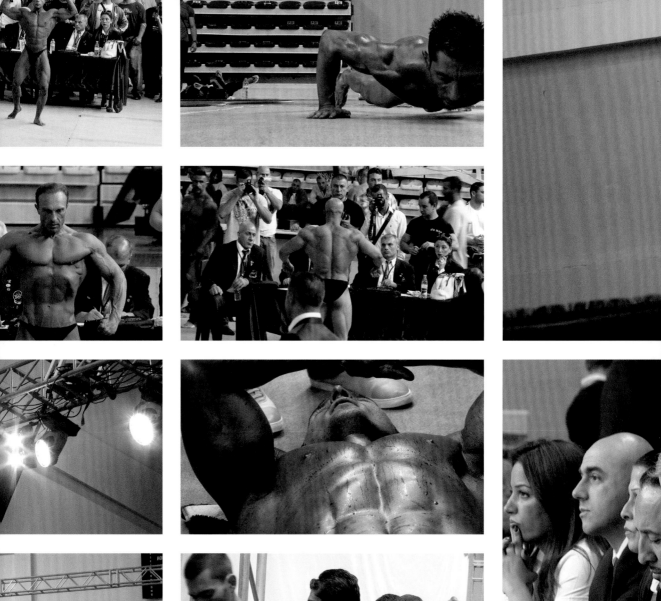

Burada ne kurmaca ne de anlatı var—Ali Kazma bize bir hikâye anlatmıyor. Hamlet'inkini bile anlatmıyor. Onun ilgilendiği şey anlatı değil, vücut bulma hali. "Oyun" bizi bir adım daha ileriye, yakın çekimle oyuncunun yüzüne, mimiklerine ve sözlerine götürüyor. Yüzün kendisi şeffaf hale geliyor.

Oyun
Play
2013

"Rezistans" serisinden |
From the series
"Resistance"
9'
Tek kanallı video
Single-channel video

İstanbul Kültür
Sanat Vakfı izniyle |
Courtesy of the
Istanbul Foundation
for Culture and Arts

126, 128–129:
Video kareleri
Video stills

No fiction, no narration here—Ali Kazma doesn't tell us any story, not even Hamlet. He is interested in incarnation, not in narration. "Play" brings us one step further with the close up to a face, to the mimics and to the words of the actor. The face becomes transparent.

BARBARA POLLA, bu kitap için yazdığı metinden | from the text she wrote for this book, 2014

Ali Kazma'nın insan yüzünün vampirleştirici gücüne ve konuşmanın
semantik düzendeki üstünlüğüne çeşitli yollarla direnen yapıtlarında,
sürekli faaliyet halindeki eller çoğunlukla ağıza nazaran daha fazla
şeyi dışa vurur. Bu *faillerin* icra ettiği sökme, döndürme, çizme,
bir araya getirme, sıralama, kazıma, açma, damgalama, kaldırma,
biriktirme, ayıklama, kapama, düğüm atma, yığma, yazma eylemleri
ve daha karmaşık başka pek çok *eylem* yalnızca hayatlarımıza
çeşitlilik katışımızı ve dünyayı kullanışlı hale getirme şekillerimizi
değil, aynı zamanda kendimizi yeni pratiklere, kimliklere, iktidar
biçimlerine, hazlara ve hafızaya hazır hale getirişimizi de gösterir.

Operative hands are often more expressive than the mouth in Ali
Kazma's works that resist in many ways the vampirising force of the
human face and to the semantic order of speech. Ripping, turning,
drawing, assembling, sorting, scratching, opening, stamping, lifting,
collecting, extracting, closing, tying a knot, piling up, writing, and many
more complex *actions* these *actors* perform not only show that we have
added variety to our lives and improved our ways of making the world
available but also how we make ourselves available for new forms of
practices, identities, forms of power, pleasures and for memory too.

OK
2011
Çok kanallı video, sonsuz
döngü | Multi-channel
video, endless loop

Vehbi Koç Vakfı izniyle |
Courtesy of the Vehbi
Koç Foundation

131,
134 (solda | on the left):
Üretim sürecinden
Production still

132–133, 134:
Video kareleri
Video stills

SELEN ANSEN, bu kitap için yazdığı metinden | from the text she wrote for this book, 2014

Ali Kazma'nın filmleri birer belgesel veya natüralist rapor olmaksızın hakikatle şiddetli bir ilişki içeriyorlar. İşin siyasi boyutu hiçbir zaman açıkça ifade bulmasa da seçilen imgeler ve bu imgelerin gösteriliş biçimi aracılığıyla çıkarım yapmak mümkün. Yakın plan çekimleri ve tamamlanmış jestlerle fragmanter, staccato alanları geniş, meditatif planlara tercih eden Kazma, imgeleri üzerine eklenebilecek herhangi bir yorumdan veya müzikten kaçınıyor; böylelikle gözümüzün önünden geçen imgeleri yüksek bir yoğunluk ve güç kazanıyor. İşte soyutlama fabrikasının işler kalmasının bedeli de bu.

Without being documentaries, or naturalistic reports, Ali Kazma's films involve a violent relation to reality. The political dimension is never openly brought in, but it can be deduced from the choice and exposition of the images. By preferring close-ups and finished gestures, fragmented, staccato spaces—instead of developing broad, meditative shots—then by avoiding any commentary on his images including any added music, he lends his images, as they run past us, a vibrating density and a heightened power. It is at this price that the abstraction factory is operative.

Mo Gourmelon, "Obstructions: Tense, dense and well-paced films"
[Engellemeler: Sıkı, yoğun ve tempolu filmler],
sergi kataloğu | exhibition catalogue (Roubaix: Espace Croisé, 2009), 33

Ali Kazma'nın video görüntüleri yöntem açısından neredeyse
arkeolojik, etki açısından ise şiirsel bir nitelik taşıyor. Hareketlerdeki,
duruşlardaki, çalışmanın özünde bulunan el işleyişindeki
kesinliğe gösterilen dikkat ve önemin metodik bir kayıt gibi
yorumlanabilmesi bakımından arkeolojik oldukları söylenebilir. Son
derece gerçekçi olmakla birlikte, seyirciye durmaksızın daha fazla
düşünce ve çağrışım esinleyen bir yoğunluğa ve biçimsel niteliğe
sahip olmaları açısından da şiirseller. Klasik niteliği hem taşıyan
hem de taşımayan bu 'üslup'tan sağlam bir gerçeklik izlenimi
doğarken, aynı zamanda da kalıcı bir güzellik duygusu yayılır.

Ali Kazma's video images are almost archaeological in method and
poetic in their effect. They are archaeological insofar as the credit and
attention given to the precision of the actions, positions and techniques
inherent in the work can be interpreted as a form of methodical
recording; and they are poetic in that the images, while perfectly
realist, invariably have a density and formal quality that inspire further
reflection and associations. At once conventional and unconventional,
Kazma's 'manner' thus produces an enduring impression of
beauty and, to the same degree, a resonant sensation of beauty.

Dansçı
Dancer
2009

"Engellemeler"
serisinden | From the
series "Obstructions"
10'
Tek kanallı video
Single-channel video

Courtesy of Espace
Croisé, Roubaix izniyle

Üretim sürecinden
Production still

138:
Video kareleri
Video stills

PAUL ARDENNE, "Ali Kazma. Düşünce Dolu Bir Bakış | A Pensive Gaze",
Ali Kazma. İşler | Works (İstanbul, Genève: Galeri Nev & Galerie Analix Forever, 2011), s. 5 | p. 57

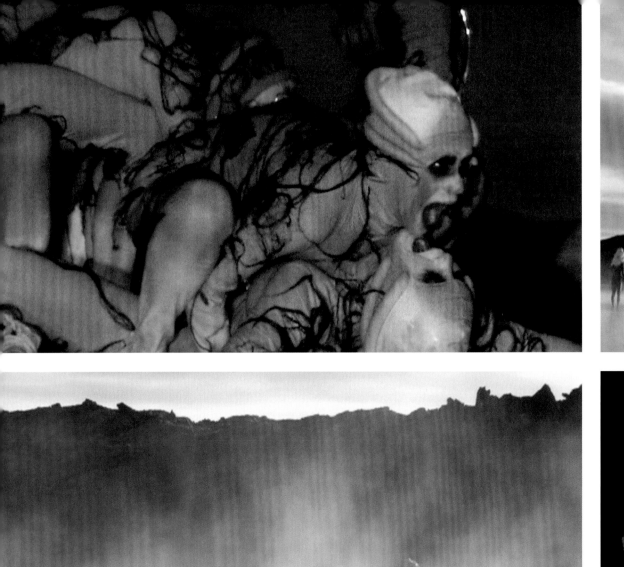

İmgenin soğukkanlı kesinliği, gölge ve ışığın kullanımındaki hüner, kadrajların inceliği, montajın enerjisi ve çekimin hassasiyeti sayesinde bu yerleştirmeleri izlemek, Ortaçağ rahipleri tarafından sabırla işlenmiş vinyetlere veya ışıklı elyazmalarına dalıp gitme duygusunu andırıyor biraz. Ancak böylesi bir karşılaştırma indirgeyici olurdu zira Ali Kazma'nın kaleydoskopik işleri hem eski hem de modern ustalara göndermelerle ve saygı duruşlarıyla dolu. Rembrandt'dan Fernand Léger'e ve Joris Ivens'a, Hieronymus Bosch, Francis Bacon, Chaïm Soutine, Piet Mondrian ve Jean Siméon Chardin'e pek çok usta. Bu küçük liste, kapsayıcı olmaktan çok uzak.

The clinical precision of the image, the deft chiaroscuro, the subtlety of the framing, the dynamic of the editing and the sensitivity of the filming make watching these installations a bit like contemplating the vignettes and illuminations patiently created by medieval monks. But such a comparison is reductive when set beside the profusion of quotations and tributes to ancient and modern masters found in Ali Kazma's kaleidoscopic oeuvre. These range from Rembrandt to Fernand Léger and Joris Ivens, via Hieronymus Bosch, Francis Bacon, Chaïm Soutine, Piet Mondrian and Jean Siméon Chardin. And the list is far from comprehensive.

ALAIN DREYFUS, "All in a Day's Work", *Savoire-faire* sergi metni | exhibition text, artnet.fr, 2010

Dünyanın gizemine ve karmaşıklığına bir şeyler ekleyebilen sanat
yapıtlarını önemsiyorum. Bir şeyler ilave edemeseler bile, ona
eşlik etmeli ve hakkında konuşabilmemiz için alan açabilmeliler.
Deneyimin yerini bir anda onun yerine geçen bir işaret aldığında
otantik deneyim ve düşüncenin oluşabilmesi için ne fiziksel ne
de zamansal anlamda bir alan kalmaz. Bu da dünyayı basitleştirir;
onu eski ve kullanılmış gösterir. Halbuki bu doğru değildir;
dünyadan alınmış bu imgeler, aslında hız ve aşırı kullanımla
bozulmuş, derivatif hale gelmişlerdir. Bu noktada imgeler birbirlerini
tüketmeye, kendi kendilerini anlamsız kılmaya başlarlar.

Otomobil Fabrikası
Automobile Factory
2012

"Engellemeler"
serisinden | From the
series "Obstructions"
11'
Tek kanallı video
Single-channel video

141, 142
Üretim sürecinden
Production still

144–145:
Video kareleri
Video stills

The artworks that are important for me are the works that add to the
enigma and the complexity of the world. If they cannot add to it, then
at least they accompany it and create a space for us to talk about it.
When the experience gets immediately replaced by a sign, by an image
that stands for it, leaving no material or temporal space for reflection
and creation of authentic experience, this simplifies the world and
makes it look old and used up. It is not true that the world is old and
used up, but the images taken from it have been corrupted by speed
and quantity; they become derivative and start to feed on themselves.

ALİ KAZMA, "Ali Kazma and Paul Ardenne, a conversation with Barbara Polla"
[Ali Kazma ve Paul Ardenne, Barbara Polla'yla bir sohbet],
In It: Ali Kazma - Paul Ardenne (New York: C24, 2012), 55–56

Belki de Ali Kazma'nın kamerası herhangi bir sınırı ihlal etmemiştir.
Belki de yerleştiği yer, aynanın bu öteki, ters tarafı, tam da olması
gereken yerdir: her filmle ulaşmaya ve açığa çıkarmaya çalıştığı
yerin kendisi. 'Küçük', geçici, geçmişte kalan şeylerin, aynı zamanda
görünmez ve dilsiz kılınan ama 'büyük resme' katkı yapmayı asla
bırakmayan şeylerin yeri. Burası belki de, bizlerin de davetsiz misafir
olmayıp başından sonuna kadar ait olduğumuz yerin kendisidir.

Perhaps, Ali Kazma's camera has transgressed no boundary. Perhaps
this other side of the mirror, this reverse side where it is located is its
very right place: the place where it ought to be and where he aims at
reaching and revealing in each film. The place where things 'small',
ephemeral, past, rendered invisible and mute never cease to contribute
to the 'bigger picture'. This might also be the very place we belong
to from beginning to end, instead of being some kind of intruders.

SELEN ANSEN, bu kitap için yazdığı metinden | from the text she wrote for this book, 2014

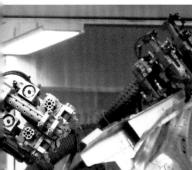

Bedenin bazen nasıl da bir partiye yanlış zamanda gelen ve sizi utandıran bir kuzen gibi oluşuyla da ilgileniyorum. Acıkıyorsunuz, şişmanlıyorsunuz, hastalanıyorsunuz, gazınız oluyor, gözleriniz kötülüyor. Beden sürekli ilgiye ve dikkate ihtiyaç duyuyor. Evet, sizi bir yerlere götürüyor veya size benzersiz deneyimler yaşatıyor olabilir, ama aynı zamanda insanı hakikaten utandırıyor ve yüzüstü bırakıyor. Ve zaten en nihayetinde, sizi mutlaka yüzüstü bırakacak.

<u>Geriye Kalan</u>
<u>What Remains</u>
2004

Çok kanallı video,
sonsuz döngü |
Multi-channel video,
endless loop

Video kareleri
Video stills

I am interested in how the body can be like an embarrassing cousin who shows up at a party at the wrong time. You get hungry, you get fat, you get sick, you have gas, your eyes go bad. The body needs constant care and attention. It takes you places and gives you unique experiences, but it can also really embarrass you and let you down. And, ultimately, it will always let you down.

Ali Kazma, quoted in Barbara Polla: "When Art Meets the Street: Resistance salutes #occupygezi" içinden alıntı, *Roots & Routes*, 2013

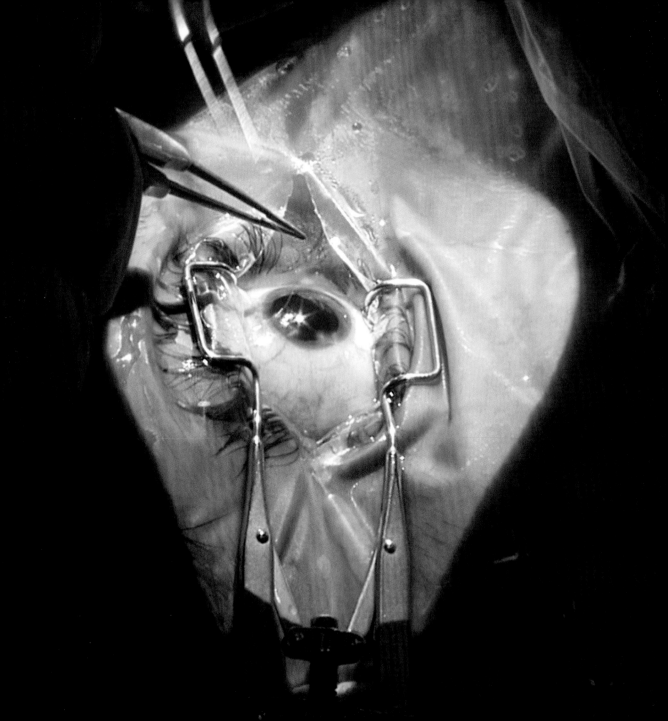

Ali Kazma, bedeni hem kendi kısıtlarından kurtarıp özgürleştiren, hem de sınırlayıp kontrol altına alan müdahale ve stratejileri inceliyor. Günümüzde insan bedeni için geliştirilen söylem, teknik ve yönetim taktiklerine ilişkin kapsamlı bir araştırma niteliğindeki "Rezistans" serisi, beden üzerinde gerçekleştirilen müdahalelere odaklanıyor. Seri, hem gerçek ve sınırlandırılmış bir imge hem de bir sonsuz imkânlar alanı olarak bedenin kaynak oluşturduğu sınırsız bilgiyi, zaman içinde daha da genişleyerek kapsamına almayı vaat ediyor.

Göz
Eye
2013

"Rezistans" serisinden |
From the series
"Resistance"
5'
Tek kanallı video
Single-channel video

İstanbul Kültür
Sanat Vakfı izniyle |
Courtesy of the
Istanbul Foundation
for Culture and Arts

148, 150–151:
Video kareleri
Video stills

Ali Kazma explores the interventions and strategies that both release the body from its own restrictions and restrict it in order to control it. As an extensive survey on the contemporary discourses, techniques and management tactics developed for the human body, "Resistance" is an attempt to unravel the interventions imposed and practised on the body today. The series promises to expand over time in order to venture further into the infinite scope of knowledge that counts the body as its source—both as a real and restricted image, and as a field of infinite possibilities.

EMRE BAYKAL, "Rezistans | Resistance",
Ali Kazma, Rezistans | Resistance (İstanbul: İKSV & YKY, 2013), s. 27 | p. 7

Yaptığımız seçimler aynı zamanda, her birimizin kendi mahrem bireyselliği içinde, direnmeyi seçtiğimiz şeyleri de tanımlar. Direnmekse sahneye her zaman direnilecek bir 'öteki'nin varlığını yerleştirir. Bu bazen başka bir insan, bazen devlet, bazen de olduğu gibi kabul etmek istemediğimiz herhangi bir ideoloji, eylem veya ifade olabilir. Seçimlerimizi yapmak için zamanı kullanıp düşünce sürecini işletirken, direnme özgürlüğümüzü de kullanmış oluruz. Direniş ve özgürlük, bireysellikle sıkı sıkıya ilişkilidir. Kazma, Venedik Bienali için önerdiği araştırmalar ve temsillerle, bize sadece kendi otoportresini değil, aynı zamanda bir grup, toplum ve insanlık olarak hepimizin portresini gösteriyor.

The choices we make include the choices of what each of us, in his or her intimate individuality, decides to resist. Resistance always places the 'other' in the scene, the one you want to resist, the human being or the government or whatever ideology, actions, or words you don't want to accept as such. By taking the time and raising the thoughts necessary to make our choices, we use our freedom to resist. Resistance and freedom are tightly linked by individualism. Kazma, through the body investigations and representations he proposes at the Venice Biennial, show us a self-portrait of himself, but also a portrait of us as a group, as a society, as humanity.

Barbara Polla, "When Art Meets the Street: Resistance salutes #occupygezi", *Roots & Routes*, 2013

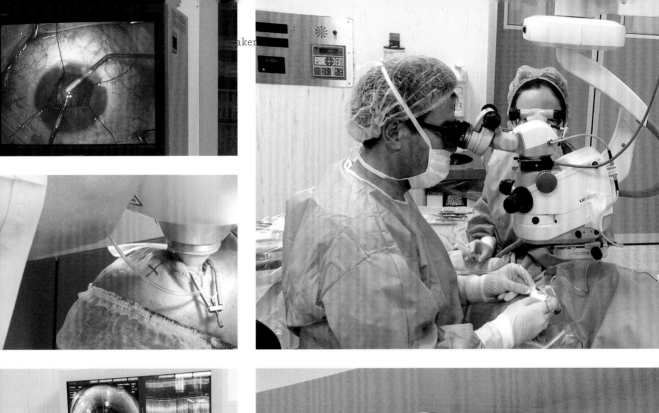
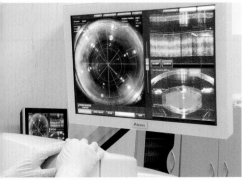

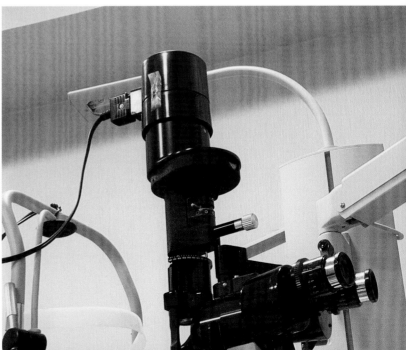

Ali Kazma'nın yapıtı, etik sözcüğünün altında "insanoğlunun her davranışı, rakibimiz bile olsa öteki'ne saygı göstermek kuralına bağlıdır" düşüncesinin yattığı hatırlanacak olursa, etiktir. Ali Kazma'nın görüntüleri 'öteki'ni değersiz bir süs eşyası, bir korkuluk ya da soytarı yapmak amacıyla değil, apaçık bir kimliği ortaya koymak amacıyla ekrana yerleştirir. Gösteriden, gösterinin manipülasyon ve simülakr kültüründen uzakta, gün be gün inşa ettiğimiz insanlığı belirleyen kimliktir bu.

Ali Kazma's work is ethical in the sense that this term evokes the idea that all human behaviour is subject to an imperative: respect for the other, even when that other is our adversary. Kazma's images install the 'other' on the screen not as some artistic bauble, scarecrow or clown, but in order to manifest an evident identity, the identity that determines the humanity to which we belong, on a daily basis, far from the spectacle and its culture of manipulation and simulacra.

PAUL ARDENNE, "Ali Kazma. Düşünce Dolu Bir Bakış | A Pensive Gaze",
Ali Kazma. İşler | *Works* (İstanbul, Genève: Galeri Nev & Galerie Analix Forever, 2011), s. 11 | p. 61–62

Moda Evi
Casa di Moda
2009

"Engellemeler"
serisinden | From the
series "Obstructions"
11'
Tek kanallı video
Single-channel video

Courtesy of
Fondazione Missoni
izniyle

Video kareleri
Video stills

155:
Üretim sürecinden
Production still

Ali Kazma'nın amacı gerçekliğe olabildiğince yakın kalmaktır—bütün bu çekim ve montaj sürecinde gerçeklik bir biçimde dışarıda kalıyor olsa bile. Her zaman filme çekilen konudan daha çok, yönetmenle ilgili bir şeyler öğreniriz. Sanatçı kendini genel başlıklarla sınırlar: Dansçı, Dans Topluluğu, Beyin Cerrahı, Saat Ustası, Seramik Sanatçısı, Kot Fabrikası, Mezbaha. Bu başlıkları kullanmasının sebebi anlatıcılarının tekil kimliklerini geriye çekmek değildir; bu genel başlıkları filmlerin jeneriklerinde isimleriyle yer alan bu kişilerin izleyiciye aktardıkları insanlık durumlarının hakkını verebilmek için seçer.

Ali Kazma's goal is to stick closely to reality as it is, even if in all the shooting and editing, reality, it just so happens, is left out. We will always learn more about the director than the object filmed. The artist restricts himself to general titles—Dancer, Dance Company, Brain Surgeon, Clock Master, Studio Ceramist, Jean Factory, Slaughterhouse—not to detract from the identity of the protagonists, which, in most instances, appear in the credits, but to grant them the share of general humanity which they convey.

Mo Gourmelon, "Obstructions: Tense, dense and well-paced films" [Engellemeler: Sıkı, yoğun ve tempolu filmler], sergi kataloğu | exhibition catalogue (Roubaix: Espace Croisé, 2009), 36

Rayon
Wool
Rayon
Wool
Rayon
Wool
Rayon
Wool
Rayon
Wool
Rayon
Wool
Rayon
Wool
Rayon
Wool
Rayon
Wool

2
2
2
2
2
2

Beige
maroon

Beige
maroon

Kazma için film yapmanın ve temsiliyetin etik boyutu net. Dünyaya yeni imgeler getirirken taşıdığı sorumluluk, deneyimi şiddetin başka formlarında bulunabilecek deneyimlerle eşitleyen kaba sansasyonalizm ya da pornografi üretmekten kaçınma sorumluluğu. Görevinin, uygunsuz bulduğu şeyle gerekli olduğunu düşündüğü şeyi birbirinden ayırmak ve imgelerin kendi tanık olduğu gerçekliğe denk düştüğünden emin olmak olduğunu söylüyor Kazma. John Berger'ın *Sanat ve Devrim*'inden (1969) bir alıntı yaparak, "Bacağı olmayan adamın temel niteliği yaşıyor olmasıdır," diyor, "bacağının olmaması değil."

For Kazma the ethics of filmmaking and representation are clear. His responsibility, in terms of bringing new images into the world, is to avoid creating crass sensationalism or pornography, which level experiences to those found in other forms of violence. It is his duty, he says, to distinguish between what he finds obscene and what is necessary, and to make sure that the images themselves correspond to the reality he witnesses. Quoting John Berger's *Art and Revolution* (1969), he says, "The essential quality of the legless man is that he is alive, not that he is legless."

HG Masters, "Replace, Alter, Adorn: Ali Kazma"
[Yerini Değiştir, Başkalaştır, Güzelleştir: Ali Kazma], *ArtAsiaPacific*, 2013

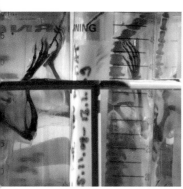

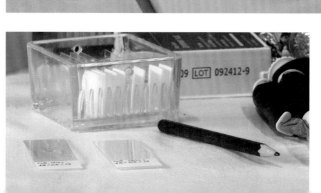

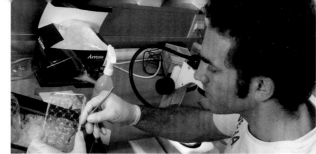

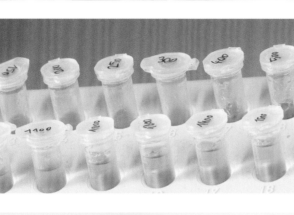
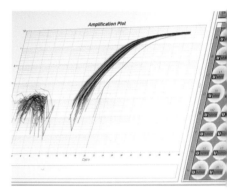

Ali Kazma'nın filmleri birlikte gösterilmek ve birbirleriyle karşılaştırılmak için tasarlanmışlardır. İmgeler elektrikli bir düzenle örülmüşçesine birbirleriyle etkileşir ve birlikte çalışırlar. Filmler bizi yakalar ve görsel ve işitsel titreşimleriyle iki gözümüzün arasından vururlar.

Ali Kazma's films are devised to be shown and compared with each other. The pictures work together in a principle of electrified dovetailing and interweave. The films grab us and hit us between the eyes with their visual and acoustic resonance.

Yerleştirme görüntüleri
Installation views

sağda | on the right:
"Rezistans | Resistance"
(Küratör | Curator: Emre Baykal),
55. Venedik Bienali
Uluslararası Sanat Sergisi,
Türkiye Pavyonu |
Pavilion of Turkey at the 55th
International Art Exhibition, la
Biennale di Venezia, 2013
İstanbul Kültür Sanat Vakfı
izniyle | Courtesy of the Istanbul
Foundation for Culture and Arts
Fotoğraf | Photo: Roman Mensing

162–163:
sol üst | top left:
"Engellemeler | Obstructions"
(Küratör | Curator: Mo Gourmelon),
Espace Croisé, Roubaix, 2009
Fotoğraf | Photo: Marc Domage

üst orta | top center:
"Engellemeler | Obstructions"
(Küratör | Curator:
Emre Baykal), Yapı Kredi
Kâzım Taşkent Sanat Galerisi,
İstanbul, 2010
Fotoğraf | Photo: Ali Kazma

Mo Gourmelon, "Obstructions: Tense, dense and well-paced films"
[Engellemeler: Sıkı, yoğun ve tempolu filmler],
sergi kataloğu | exhibition catalogue (Roubaix: Espace Croisé, 2009), 30

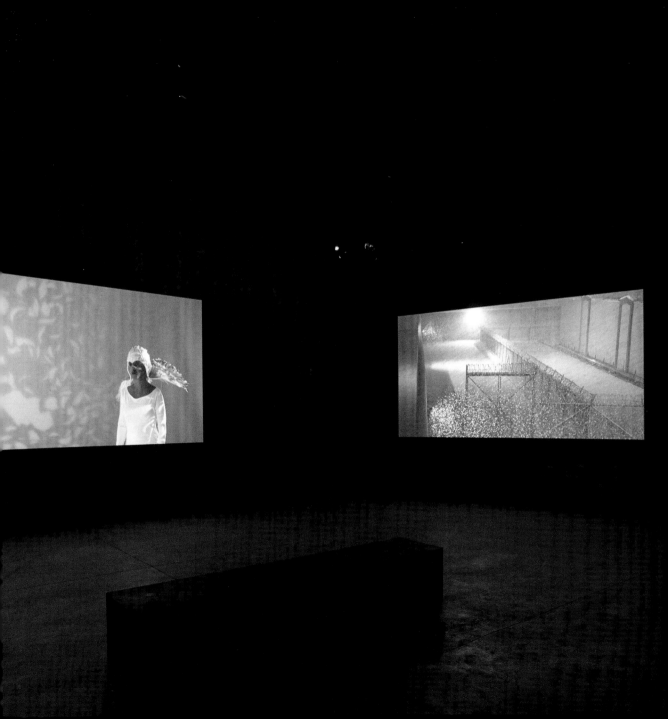

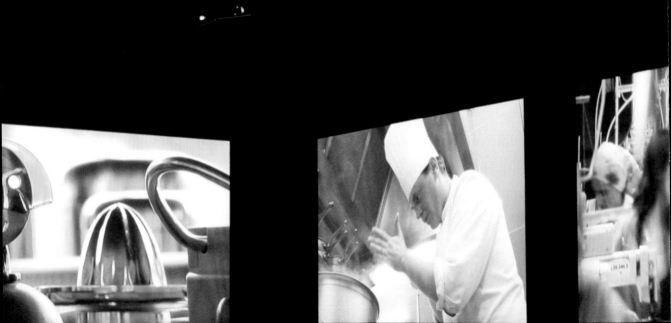

İşlerin sunumu sürekli birbirlerini onaylayan ve aynı zamanda birbirleriyle çelişen videolar arasındaki dinamik bir değiş-tokuşa dönüşüyor. Bütün karmaşıklığı içinde bu sunum, devamlı bir oluş hali gibi, merkezleri ve gerilimleri sürekli çoğaltıyor; sonsuz bir olanaklar alanı açıyor ama aynı zamanda bir seferde tek bir ihtimali sunabiliyor—bu da bence dünyayı, olduğu gibi yansıtıyor.

Yerleştirme görüntüleri
Installation views

162–163:
sağ üst | top right &
sol alt | bottom left:
"Things We Do"
[Yaptığımız Şeyler]
(Küratör | Curator:
René Block), Tanas,
Berlin, 2010
Fotoğraf | Photo: Ali Kazma

alt orta | bottom center:
"IN IT" [İçinde]
(Küratör | Curator:
Paul Ardenne), C24 Gallery,
New York, 2012
Fotoğraf | Photo: Ali Kazma

sağ alt | bottom right:
Geriye Kalan
What Remains, 2004
Çok kanallı video
Multi-channel video
HMKV, Dortmund, 2004

solda | on the left:
Museum Kunst Palast,
Düsseldorf, 2010
Fotoğraf | Photo:
Ali Kazma

The presentation becomes a dynamic exchange between the videos as they confirm and contradict one another continuously. This presentation, in all its complexity, multiple centres and tensions, is in a constant state of becoming; open to infinite possibilities and yet able to present one possibility at a time, which I believe mirrors the world as it is.

ALİ KAZMA, "Temporality: a pivotal position of the work" [Zamansallık: İşin hayati yanı], interview with Ali Kazma by Mo Gourmelon'un Ali Kazma'yla söyleşisi, *Espace Croisé*, 2010

Ali Kazma'nın filmlerinin pek çoğu, ya teknolojiyle ve sanallıkla örülü bir dünyada hükmünü yitirmeye mahkûm, ya da kamunun bakışından uzakta icra edildikleri için fark edilmeyen, gizli kalan pratiklere ve jestlere dikkat çekmeye ve görünürlük kazandırmaya olanak sağlayan bir 'sahne' sunarlar. Böylelikle Kazma, meta fetişizminin topyekûn görünmez hale getirdiği üretim sürecine ve bu sürecin faillerine itibarlarını iade eder. Bu geçiş önemlidir çünkü geleneğin suretten ibaret görerek güvenilmez kıldığı imgeler, burada, güncel ekonominin sessizleştirip soyutlaştırdıklarının varoluşlarına dair birer kanıta dönüşür. Her bir film, zihnimizle işbirliği içindeki ellerimize borçlu olduğumuz eylemlerimizin potansiyelini açığa çıkarırken, bu ikilinin yapabilecekleri kadar bozabileceklerine dair de kanıt ve farkındalık sunar.

Many of Ali Kazma's films offer a 'stage', allowing visibility for and calling attention to practices and gestures that are either doomed to become obsolete in a technological and virtualised world, or to remain unnoticed and concealed since they are performed away from public gaze. In this way, he rehabilitates the process of production and its actors, which have altogether been rendered invisible by commodity fetishism. This is a shift of importance since images that a tradition has distrusted as mere semblances, now attest to the existence of what actual economy silences and abstracts. Each film unconceals the potentiality of making we owe to our hands in collaboration with our minds, providing evidence and awareness as to what these can do as well as undo.

Robot
2013
"Rezistans" serisinden |
From the series
"Resistance"
5'
Tek kanallı video
Single-channel video

İstanbul Kültür
Sanat Vakfı izniyle |
Courtesy of the
Istanbul Foundation
for Culture and Arts

167, 168–169, 170:
Video kareleri
Video stills

SELEN ANSEN, bu kitap için yazdığı metinden | from the text she wrote for this book, 2014

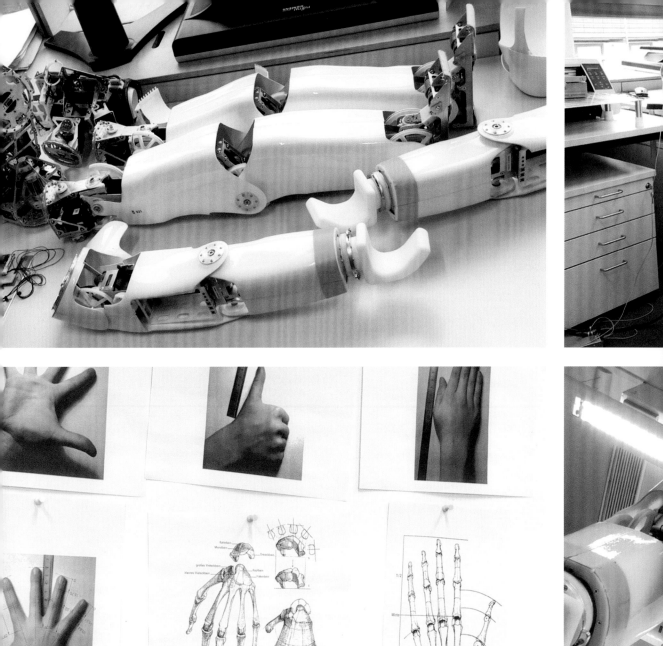
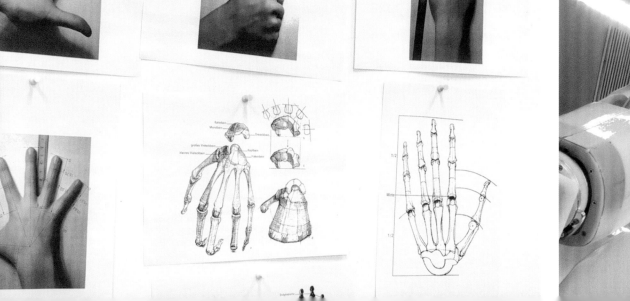

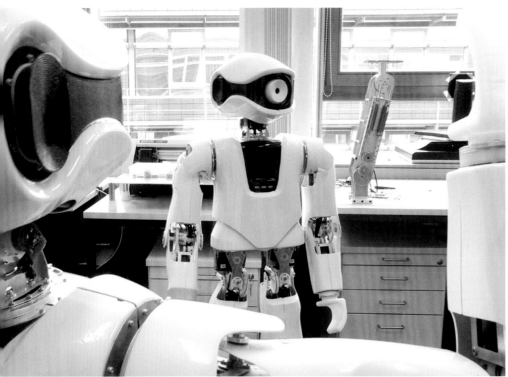

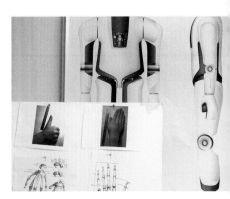

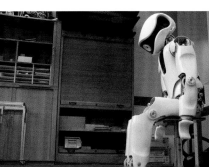

Ali Kazma kendi konumunu, yani gördüğümüzle dokunarak hissettiğimizi birleştirme faaliyetini bütünüyle kabul eden, didaktik bir sanatçı. Kazma'nın videolarına özgü yüksek çözünürlüklü görüntü ve fevkalade odak netliği, izleyicilerin baktıkları şeye, neredeyse cerrahi denebilecek bir yakınlıktan, *gözleriyle dokunmaya* mecbur oldukları anlamına geliyor.

Ali Kazma is a didactic artist, one who fully accepts his position, which is to unite the optical (what we see) and the haptic (what we touch). The high definition of the image and the great focal precision characteristic of Kazma's videos mean that the viewer is obliged to *touch with their eyes*, in an almost surgical way, what they are looking at.

Paul Ardenne, "Ali Kazma and Paul Ardenne, a conversation with Barbara Polla" [Ali Kazma ve Paul Ardenne, Barbara Polla'yla bir sohbet], *In It: Ali Kazma - Paul Ardenne* (New York: C24, 2012), 52–53

Ali Kazma için beden, ondaki karanlığı aydınlatma hırsımıza rağmen esrarını asla ele vermeyen bir direnç noktası olarak rasyonel akla karşı koyuşu temsil eder. Bedenin kendi içinde barındırdığı bilinmezliğe tahammül edemeyen insan, onu yaşam ve ölüm arasına sıkıştırmıştır.

For Ali Kazma, the body confronts the rational mind and becomes a point of resistance that refuses to reveal its mystery despite our ambition to shed light on its darkness. Our obsession to decipher the enigma of the body has trapped it between life and death.

Yaşam Uzatma
Cryonics
2013
"Rezistans" serisinden |
From the series
"Resistance"
5'
Tek kanallı video
Single-channel video

İstanbul Kültür
Sanat Vakfı izniyle |
Courtesy of the
Istanbul Foundation
for Culture and Arts

173, 174–175, 176:
Video kareleri
Video stills

EMRE BAYKAL, "Rezistans | Resistance",
Ali Kazma, Rezistans | Resistance (İstanbul: İKSV & YKY, 2013), s. 35–36 | p. 16

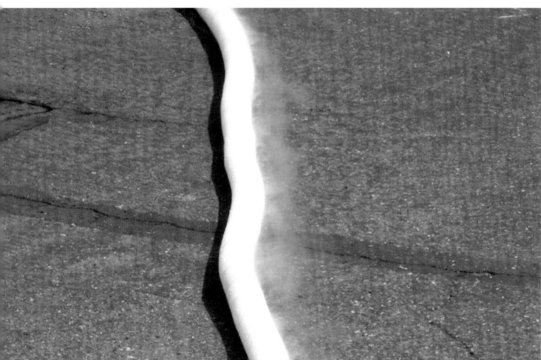

Richard C. Jones
Born: November 12, 1931
Cryopreserved: December 12, 1988

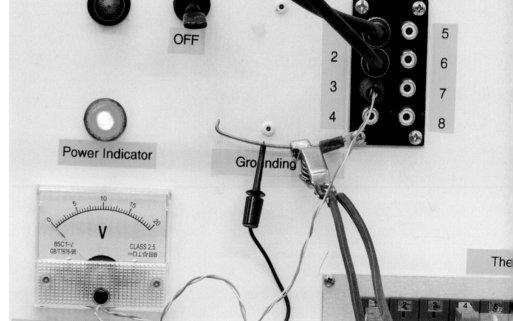

Alarm System ON

OFF

Crack Phone Sensors

2
3
4

5
6
7
8

Power Indicator

Grounding

0   5   10   15   20

V

85C1-V
GB/T7676-98

CLASS 2.5

The

LIFE EXTENSION
FOUNDATION
SINCE 1972
www.alcor.org

www.alcor.org

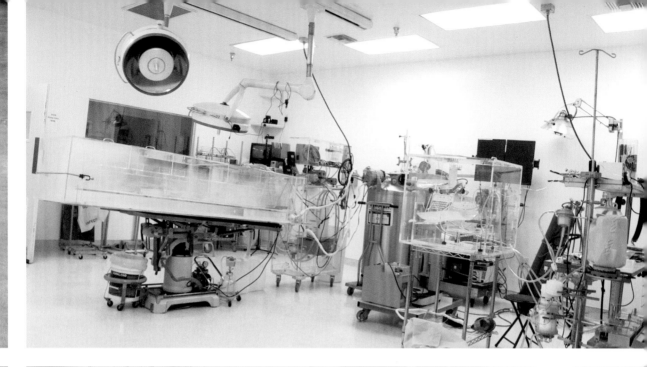

Kendi bedeninin ölümlülüğüne öngöremediği bir gelecek zamanın bilmediği teknolojik imkânlarından çare uman insan, ona her zaman başkaldırıp direnen bu bedenin artık tek ve mutlak hâkimi olmak istercesine, ölümü henüz durduramasa da en azından askıya alma, yeniden doğuş vaadini kutsalın alanından çıkarıp bilimin iktidar alanına teslim etme deneyine girişiyor.

Humankind seeks a remedy for the mortality of the body in a future it is unable to foresee, and in technological means it has no knowledge of as yet. This is an attempt to become, at long last, the one and absolute ruler of our bodies, which have always resisted and revolted against us. Although it is currently impossible to prevent death, it is an ambitious venture at least to suspend it, and to carry the promise of resurrection from the field of the sacred into the dominion of science.

EMRE BAYKAL, "Rezistans | Resistance", *Ali Kazma, Rezistans | Resistance* (İstanbul: İKSV & YKY, 2013), s. 34 | p. 14

Kişisel bir eylem olarak okumak, ellerinin arasında bir kitabı tutmak, herhangi bir mekanik aygıtın yükü olmaksızın, bir koltuğa kıvrılarak veya otobüste, uçakta, tuvalette veya banyoda sakince oturarak, veya bir parkta çimenlerin üzerinde yüzükoyun yahut yatağınızda sırt üstü uzanarak, kitabın sayfalarını ileriye veya geriye doğru çevirerek, canınız istediğinde bir pasajı geri dönüp tekrar okuyarak, istediğiniz kadar yavaş veya hızlı okumak, bir tür neşeli ölümsüzlük hali ve Dünya'da başka hiçbir şeyin tattıramayacağı bir sonsuz mekân ve zaman illüzyonu yaşatır.

The private act of reading, of holding a book in your hands, unencumbered by any mechanical devices, free to curl up in an armchair, or sit quietly in a bus or in a plane, on the toilet or in the bath, or lie belly-down on the grass in a park or belly-up in your bed, flipping backwards or forwards through the book, re-reading a passage as many times as you like, as slow or as fast as you see fit, allows you a sort of joyful immortality, and the illusion of limitless space and time as does nothing else on this Earth.

Recto Verso
2013
Sınırlı sayıda basılmış kitap
Limited edition book
Les éditions Take5
47 × 25 × 6 cm

179, 180
Fotoğraf | Photo:
Hadiye Cangökçe

181
Recto Verso'dan
bir fotoğraf detayı |
Detail of a photograph
from Recto Verso

ALBERTO MANGUEL, "Words for What We Know" [Bildiklerimiz için Kelimeler], *Recto Verso*, 2013

binding		reliure
books		livres
bookstores		librairies
libraries		bibliothèques
manuscripts		manuscrits
paper		papier
printing		impression
restoration		restauration
tools		outils

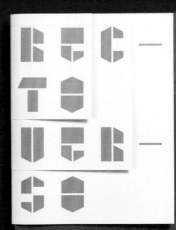

Bitkin düşene kadar çalışmayı, çekim ve montaj yapmayı seviyorum. Sonra ritmi değiştiriyorum: Dinleniyorum, uyuyorum, okuyorum ve başka şeylerle ilgileniyorum. Bu dönüşümlü ritmin gerekli olduğuna inanıyorum. Kendimizi sürekli olarak bitkin düşene kadar yormalı ve bu iki hal arasında gidip gelmeliyiz. Hareket, yorulmak ve değişim bizi entropiden korur.

"Rezistans" serisindeki
"Dövme" videosunun
üretim sürecinden

Production still
from "Tattoo",
"Resistance" series
2013

Fotoğraf | Photo:
Selen Korkut

I like working, filming, editing until exhaustion. Then I change the rhythm: I rest, sleep, read and immerse myself in different things. I believe this alternation is necessary. We have to exhaust ourselves continually and alternate between these two states. Movement, exhaustion and change protect us from entropy.

ALİ KAZMA, "This motion that hold us", a topic proposed by Barbara Polla ["Bizi tutan o hareket" – Barbara Polla tarafından önerilen bir konu], 2013

Çalışan bedenin zamana yayılan çabasını iyi bir 'macera filmi' haline getiriyorsun. Her parçacığı bilgi yüklü, ilgiyle seyredilecek bir macera. Senin maceran ise işin projelendirilmesinden başlayarak mekânda olduğun çekim saatleriyle ve evindeki kurgu odasında geçirdiğin günlerle devam ediyor. Senin kendi işine ve hayatına da işlerinde başkalarının 'uğraş'larına baktığın gözle bakabilmeyi isterdim.

5541
2014

13'
Tek kanallı video
Single-channel video

Video kareleri
Video stills

186, 189
Üretim sürecinden
Production stills

You transform the effort of a working body through time into an 'adventure' film. An adventure that is loaded with knowledge—a pleasure to watch. Your own adventure begins with the pre-production phase of the work and continues with hours of shooting on site, followed by the time you spend in your editing room. I wish I could observe your work and your life with the same perspective you observe others.

CEVDET EREK, Ali Kazma'yla bu kitap için yaptıkları söyleşiden |
from the conversation they held with Ali Kazma for this book, 2014

Dünyanın, yaşadığımız yerin yeniden ve yeniden nasıl üretildiğiyle
ve nasıl dönüştüğüyle ilgileniyorum. Yapmayı hedeflediğim
şey, insanın yapabileceklerinin bir haritasını oluşturmak ve
bu olasılıklar arasındaki ilişkilerin izini sürebilmek.

I'm interested in the production and transformation of the
world, of where we live, over and over again. What I hope to
achieve is the creation of a map of all human capacities and
trace the relationships between all these possibilities.

Ali Kazma, in an interview by Aslı Çetinkaya'nın söyleşisinden, 2010

Ali, imgeler aracılığıyla imgenin kendi yaşamı ve ölümü içinde atıl durmakta olan şeyleri kurtarıyor. İmge burada zamanın içinde işliyor, deviniyor; zamanı hem yoğunlaştırıyor, hem de onu biz izleyicilerin gözleri önünde özgürleştiriyor.

Ali saves things with images, things that are at a standstill, in the life and in the death of the image itself. Here, the image works in time, it acts in time, it concentrates time and at the same time liberates it, in front of us spectators.

PAUL ARDENNE, "Ali Kazma and Paul Ardenne, a conversation with Barbara Polla" [Ali Kazma ve Paul Ardenne, Barbara Polla'yla bir sohbet], *In It: Ali Kazma - Paul Ardenne* (New York: C24, 2012), 45

*
Sergideki işler listesinde değişiklik yapılabilir.
Works in the exhibition may be subject to change.

Ali Kazma hakkında

1971 yılında İstanbul'da doğan video sanatçısı Ali Kazma, 1993'te ABD'de lisans eğitimini tamamladı. Londra'da kısa bir süre fotoğraf eğitimi aldıktan sonra 1995 yılında film eğitimi almak için tekrar ABD'ye döndü. New York'taki New School Üniversitesi'nde yüksek lisans eğitimini tamamlarken aynı zamanda öğretim elemanı olarak da görev yaptı. 2001 yılında UNESCO tarafından verilen Sanata Destek Ödülü'ne layık görülen Kazma, 2005 yılından bu yana üzerinde çalıştığı "Engellemeler" serisiyle 2010 yılında medya sanatı alanında North Rhine-Westphalia Sanat Vakfı tarafından verilen prestijli Nam June Paik Ödülü'nü kazandı. Videolarında insanın varoluşunun farklı ritim ve halleri ile bunların güncel durumlarla ilişkilerini araştıran sanatçının çalışmalarının sergilendiği kurumlar ve etkinlikler arasında İstanbul Bienali (2001, 2007, 2011), Tokyo Opera City (2001), Platform Garanti ve İstanbul Modern (2004), 9. Havana Bienali (2006), San Francisco Art Institute (2006), Lyon Bienali (2007), Sao Paulo Bienali (2012) ve Venedik Bienali Türkiye Pavyonu (2013) yer alıyor. Kazma, 2000 yılından bu yana İstanbul'da yaşıyor.

On Ali Kazma

Born in 1971, Istanbul, Ali Kazma completed his undergraduate studies in the United States in 1993. After briefly studying photography in London, he returned to the US to study film in 1995. He received his MA from The New School University in New York City where he worked as a teaching assistant. Ali Kazma was granted the 2001 UNESCO Award for the Promotion of the Arts and received the 2010 Nam June Paik Award given by North Rhine-Westphalia Art Foundation in the field of media art, with his "Obstructions" series that he had been working on since 2005. Kazma's video works question and explore the different rhythms and states of human existence and its relationship to contemporary conditions. He has exhibited his works at the Istanbul Biennial (2001, 2007, 2011), Tokyo Opera City (2001), Platform Garanti Istanbul (2004), Istanbul Modern (2004), 9th Havana Biennial (2006), San Francisco Art Institute (2006), Lyon Biennial (2007), Sao Paulo Biennial (2012), and Venice Biennale, Pavilion of Turkey (2013) among others. Kazma has been living in Istanbul since 2000.

Ali Kazma ve ARTER, "zamancı" sergisindeki işlerin prodüksiyonlarına ve serginin ve kitabın gerçekleşmesine katkıda bulunan kişi ve kurumlara teşekkür ederler.

Ali Kazma and ARTER would like to thank the following people and institutions for their contribution in the production of the works and their collaboration the making of the exhibition and the publication "timemaker".

Aaron J. Drake
Adem Esgün
Agâh Uğur
Dr. Ahmet Ertaş
Ahmet Kocabıyık
Alberto Alessi
Alcor Life Extension
	Foundation
Alessandro Magania
Alev Ebüzziya Siesbye
Alex Kofuu Reinke
	Horikitsune
Alexis Dumas
Ali Zırh
Alice Gage
Aline Pujo
Alparslan Hazar
Alpen Ortuğ
Anna Controllo
Ari Fliakos
Arisue Go
Ayhan Voştina
Ayşe Bulutgil
Ayşe Dilek Anadol
Benjamin Weil
Bige Öger

Bozkurt Karasu
Casey Spooner
Catherine Tsekenis
CBKU
Céline Fribourg
Cesar Mesquita
Cevat Gül
Charles Mela
Claire Marquet
Cynthia Hedstrom
Çiğdem Büke
Daisuke Sakaguchi
Daniel Pettrow
Denis Duboulé
Deniz Ova
Deniz Tunay
Dominique Loiseau
Dünya Göz Hastanesi
Elalem İletişim
	Danışmanlık Ekibi
Elif Akarlılar
Elif Obdan
Elizabeth LeCompte
Emre Kurttepeli
Emre Mermer
Ergün Eryılmaz
Erna Omarsdottir
Ersin Akarlılar
Prof. Dr. Ethem Tolga
Prof. Dr. Faik Altıntaş
Fatih Güngör
Filiz Avunduk
Fondation d'entreprise
	Hermès
Francesca Minini
Frédéric Martial-Wetter
Fulya Erdemci
Füsun Onur
Galatasaray Lisesi
Galatasaray Üniversitesi
Gökhan Ayaydın
Görgün Taner

Greg Mehrten
Gurbet Erdoğan
Haldun Dostoğlu
Hugh Hixon
Hüseyin Karagöz
Iestyn Flye (The Absolute)
İlhan Onur
Isabella Rossellini
İstanbul Akvaryum
	Yönetim Kurulu
İstanbul Üniversitesi
	Cerrahpaşa Tıp Fakültesi
	Anatomi Anabilim Dalı
Jacques Coulais
Jean de Loisy
Jean-Hugues de Chatillon
Jean-Luc Honegger
Jean-Luc Monterosso
Kabuhan Canpolat
Kate Valk
Prof. Dr. Kazım Devranoğlu
Kogure Reiko
Koosil-ja
Koray Uçar
Larissa Braun
LIP Precision Industrie
Luc Steels
Luca Missoni
Dr. Manfred Hild
Marc Chouarain
Martine Hoyas
Max More, PhD
Doç. Dr. Mehmet Üzel
MEP - Maison Européenne
	de la Photographie
Meral Mercan
Metin Sönmez
Michael Perry, PhD
Mustafa Onuk
Myrtia Nikolakopoulou
Nezih Gültekin
Niyazi Kurt

Nurdan Öz
Owen Williams
Ömer Faruk Dere
Özlem Bekiroğlu
Paolo Colombo
Patrick Bertron
Patrick Forest
Philippe Apeloig
Recep Gürgen
Regina Wyrwoll
SAHA
	Çağdaş Sanatı Destekleme
	Girişimi | Supporting
	Contemporary Art
	from Turkey
Prof. Dr. Salih Murat Akkın
Sarkis
Scott Shepherd
Senem Kudat
Serra Karapınar Yentürk
SKOR
Stefano Chila
Take 5 Genève
Thomas Bauer
Tuna Ortaylı
Tuncel Kazma
Türkiye Vücut Geliştirme,
	Fitness ve Bilek
	Güreşi Federasyonu
Vehbi Kadri Kamer
Vincent Guichard
Yann Brennick
Yeditepe Üniversitesi
	Hastanesi
Yunus Emre Arslaner
Zeynep Tanbay